中国工程建设协会标准

夹模喷涂混凝土夹芯剪力墙建筑技术规程

（2017年版）

Technical specification for clamp mould sprayed concrete sandwich shear wall building

CECS 365：2014

主编单位：清华大学建筑设计研究院有限公司
北京华美科博科技发展有限公司
批准单位：中国工程建设标准化协会
施行日期：2014年4月1日

中国计划出版社

2017 北京

中国工程建设协会标准

夹模喷涂混凝土夹芯剪力墙

建筑技术规程

CECS 365：2014

（2017年版）

☆

中国计划出版社出版发行

网址：www.jhpress.com

地址：北京市西城区木樨地北里甲11号国宏大厦C座3层

邮政编码：100038 电话：(010)63906433(发行部)

廊坊市海涛印刷有限公司印刷

850mm×1168mm 1/32 3.125印张 77千字

2017年4月第1版 2017年4月第1次印刷

印数1—2080册

☆

统一书号：155182·0089

定价：37.00元

中国工程建设标准化协会公告

第 272 号

关于发布《夹模喷涂混凝土夹芯剪力墙建筑技术规程》局部修订的公告

根据中国工程建设标准化协会《关于同意对 CECS 365：2014 进行局部修订的复函》（建标协函〔2016〕55 号）的要求，由清华大学建筑设计研究院有限公司和北京华美科博科技发展有限公司等单位编制的《夹模喷涂混凝土夹芯剪力墙建筑技术规程》，经本协会混凝土结构专业委员会组织审查，现批准发布，编号为 CECS 365：2014（2017 年版），自 2017 年 5 月 1 日起施行。经此次修改的原条文同时废止。

中国工程建设标准化协会

二〇一七年一月二十三日

修 订 说 明

本次局部修订系根据中国工程建设标准化协会《关于同意对CECS 365：2014进行局部修订的复函》(建标协函〔2016〕55号)的要求，由清华大学建筑设计研究院有限公司会同有关单位对《夹模喷涂混凝土夹芯剪力墙建筑技术规程》CECS 365：2014进行局部修订而成。

《夹模喷涂混凝土夹芯剪力墙建筑技术规程》CECS 365：2014自施行以来，通过一系列工程实践，验证了夹模喷涂混凝土剪力墙建筑的优越性，同时也发现了一些不足，需要对规程进行修改并补充完善。

本次修订的主要内容：对夹模喷涂混凝土夹芯剪力墙建筑的内涵进行了扩充，纳入了由保温剪力墙外墙和普通现浇剪力墙内墙组成的普通保温剪力墙结构；施工工艺由原来的喷涂扩充为既可喷涂又可现浇；对术语进行了相应的调整：原"喷涂混凝土夹芯剪力墙"改为"夹芯剪力墙内墙"、原"保温喷涂混凝土夹芯剪力墙"改为"保温夹芯剪力墙外墙"、原"喷涂混凝土连梁"改为"夹芯混凝土连梁"、原"夹芯混凝土结构"改为"全夹芯混凝土结构"、原"保温剪力墙结构"改为"内夹芯保温剪力墙结构"、增加了"普通保温剪力墙结构"、原"喷涂混凝土剪力墙结构"改为"混凝土夹芯剪力墙结构"；对保温剪力墙外墙的拉结腹丝形式进行了扩充，并对保温剪力墙的水平和竖向变形缝的设置要求和构造进行了改进；删除了"非抗震设计"相关内容等。

本次局部修订主编单位：

清华大学建筑设计研究院有限公司

北京华美科博科技发展有限公司

本次局部修订参编单位：

清华大学土木工程系

河南省建筑科学研究院

新疆北新建材工业集团有限公司

本次局部修订主要起草人：

冯葆纯　钱稼茹　任宝双　刘　斌　张以超

侯建群　赵宏伟　李建民　马超刚　蔡志舰

本次局部修订主要审查人：

杨嗣信　崔士起　陈福广　周锡全　郑文忠

季广其　姜兆黎　李文峰　刘时伟

中国工程建设标准化协会公告

第161号

关于发布《夹模喷涂混凝土夹芯剪力墙建筑技术规程》的公告

根据中国工程建设标准化协会《关于印发〈2012年第一批工程建设协会标准制订、修订计划〉的通知》(建标协字〔2012〕57号)的要求,由清华大学建筑设计研究院有限公司、北京华美科博科技发展有限公司等单位编制的《夹模喷涂混凝土夹芯剪力墙建筑技术规程》,经本协会混凝土结构专业委员会组织审查,现批准发布,编号为CECS 365:2014,自2014年4月1日起施行。

中国工程建设标准化协会

二〇一四年二月十二日

前　　言

根据中国工程建设标准化协会《关于印发〈2012年第一批工程建设协会标准制订、修订计划〉的通知》(建标协字〔2012〕57号)的要求,制定本规程。

本规程是在广泛调查研究,总结国内外钢丝网架聚苯夹芯板、喷涂混凝土技术的研究成果和多年的工程实践经验,以及配套施工技术创新改进的基础上编制而成的。

夹模喷涂混凝土夹芯剪力墙建筑是由保温剪力墙或保温夹芯剪力墙外墙,夹芯剪力墙内墙或普通现浇剪力墙内墙,现浇柱、梁及边缘构件,以及现浇或装配整体式楼(屋)盖组成的钢筋混凝土剪力墙结构房屋建筑。保温剪力墙及保温夹芯剪力墙外墙是集保温、防火、结构于一体的新型墙体,其钢丝网架保温夹芯板由工厂生产、现场拼装、夹模固定,采用商品混凝土现场喷涂或浇筑。通过预制与现浇相结合的工业化建造方式,形成的夹模喷涂混凝土夹芯剪力墙建筑结构,是建筑工业化、住宅产业化的理想结构形式之一,具有广阔的应用前景。

本规程包括9章和3个附录,主要技术内容包括:总则、术语和符号、材料、基本规定、建筑设计和节能、结构设计、结构构造、施工和工程验收等。

本规程的某些内容涉及专利。涉及专利的具体技术问题,使用者可直接与本规程的主编单位协商处理。本规程的发布机构不承担识别这些专利的责任。

本规程由中国工程建设标准化协会混凝土结构专业委员会归口管理,由清华大学建筑设计研究院有限公司负责技术内容的解释。在执行过程中,请各单位结合工程实践,认真总结经验,并请将意见和建议寄至解释单位（地址：北京市海淀区清华大学建筑设计研究院有限公司，邮政编码：100084）。

主编单位：清华大学建筑设计研究院有限公司
北京华美科博科技发展有限公司

参编单位：清华大学土木工程系
北京住总钢结构工程有限责任公司
北京奇佳联合新型建材有限公司
河南省建筑科学研究院

主要起草人：冯葆纯　钱稼茹　侯建群　张以超　任宝双
刘培祥　张　君　王海宁　李江波　杨洪祺
李建民　慕苏庆

主要审查人：徐正忠　杨嗣信　陈福广　王墨耕　王庆生
周锡全　傅剑平　郑文忠　章一萍　苗启松
潘延平　季广其　栾景阳

目　次

Contents

1 总 则

1.0.1 为贯彻执行国家的墙体改革和有关技术经济政策，规范夹模喷涂混凝土夹芯剪力墙建筑的设计和施工，做到安全适用、技术先进、节能环保、经济合理、确保质量，制定本规程。

1.0.2 本规程适用于抗震设防烈度 8 度及以下地区的民用夹模喷涂混凝土夹芯剪力墙建筑的设计、施工及验收，也适用于现浇混凝土夹芯剪力墙建筑。

1.0.3 夹模喷涂混凝土夹芯剪力墙建筑的设计、施工及验收，除应符合本规程规定外，尚应符合国家现行有关标准的规定。

2 术语和符号

2.1 术　　语

2.1.1 混凝土夹芯剪力墙建筑　concrete sandwich shear wall building

由保温剪力墙外墙或保温夹芯剪力墙外墙，夹芯剪力墙内墙或普通现浇混凝土剪力墙内墙，现浇暗柱、暗梁及边缘构件，以及现浇或装配整体式楼(屋)盖组成的钢筋混凝土剪力墙结构房屋建筑，简称SW 建筑。SW 建筑墙体施工可采用夹模喷涂工艺，也可采用现浇工艺。

2.1.2 钢丝网架聚苯夹芯板　steel wire mesh framed by expanded polystyrene panel

以聚苯板为芯板，两面覆以焊接钢丝网，将直插或斜插拉结腹丝穿过保温板并点焊在钢丝网的竖丝上，形成的三维空间钢丝网架夹芯板，具有保温、隔热以及兼作喷涂混凝土基体等多项功能，简称夹芯板。

夹芯板的焊接钢丝网分单层网、双层网和单双层网组合，外墙夹芯板的腹丝采用不锈钢丝。

2.1.3 夹模　clamp mould

夹芯剪力墙内墙及保温夹芯剪力墙外墙采用喷涂工艺施工时的现浇暗柱、暗梁及边缘构件专用工具式模板，并具有找正、夹紧及固定夹芯板的功能，确保夹芯板平面外的刚度，施工时使夹芯板能承受喷涂混凝土压力不颤动，不产生位移。

2.1.4 夹芯剪力墙内墙　interior concrete sandwich shear wall

夹芯板的两侧面喷涂或现浇混凝土形成的剪力墙，用于混凝土夹芯剪力墙建筑的内承重墙。夹芯剪力墙内墙集防火、结构于一体，简称夹芯内墙。

2.1.5 保温剪力墙外墙 exterior thermal insulation shear wall

由喷涂或现浇混凝土外叶墙、夹芯板和现浇剪力墙内叶墙组成的墙体，用于建筑的外墙，简称保温剪力墙。保温剪力墙集保温、防火、结构于一体，其外叶墙仅作为夹芯板的保护层，现浇内叶剪力墙为承重及抗侧力结构构件。

2.1.6 保温夹芯剪力墙外墙 exterior thermal insulation sandwich shear wall

由喷涂或现浇混凝土内、外叶墙及夹芯板组成的墙体，用于多层建筑外墙。保温夹芯剪力墙外墙集保温、防火、结构于一体，其内叶墙设置暗梁、暗柱，为承重及抗侧力结构构件，其外叶墙作为夹芯板的保护层以及与内叶墙共同抵抗平面外弯矩。简称保温夹芯外墙。

2.1.7 夹芯混凝土连梁 sandwich concrete link beam

夹芯板的两侧面喷涂混凝土形成的连梁，为非结构受力构件。

2.1.8 全夹芯剪力墙结构 whole concrete sandwich shear wall structure

由保温夹芯外墙和夹芯内墙组成的建筑结构。

2.1.9 内夹芯保温剪力墙结构 interior concrete sandwich shear wall structure

由保温剪力墙外墙和夹芯内墙组成的建筑结构。

2.1.10 混凝土夹芯剪力墙结构 concrete sandwich shear wall structure

全夹芯剪力墙结构和内夹芯保温剪力墙结构的总称。

2.1.10A 普通保温剪力墙结构 ordinary thermal insulation shear wall structure

由保温剪力墙外墙和普通现浇剪力墙内墙组成的建筑结构。

2.1.11 喷涂混凝土 sprayed concrete

采用压缩空气将喷涂专用混凝土通过管道输送，并以高速高压喷射到基体表面，硬化后形成的混凝土，具有粘结力强、抗冻、抗渗和耐久良好的性能。

2.1.12 内叶墙 inner part of sandwich wall

保温剪力墙及保温夹芯外墙的室内一侧墙体。

2.1.13 外叶墙 outer part of sandwich wall

保温剪力墙及保温夹芯外墙的室外一侧墙体。

2.2 符 号

2.2.1 材料力学性能：

E——弹性模量；

$f_{cw,yk}$——冷拔镀锌钢丝强度标准值；

$f_{cw,y}$、$f'_{cw,y}$——分别为冷拔镀锌钢丝抗拉、抗压强度设计值；

$f_{w,yk}$——不锈钢丝强度标准值；

$f_{w,y}$、$f'_{w,y}$——分别为不锈钢丝抗拉、抗压强度设计值。

2.2.2 作用和作用效应：

M——弯矩；

V——剪力。

2.2.3 几何参数：

A——截面面积；

a——夹芯板主、副钢丝网间距；

b_w——夹芯墙厚度，现浇剪力墙厚度；

d——直径；

L——夹芯板长度；

l_1——纵向受拉钢筋搭接长度；

l_{aE}——纵向受拉钢筋抗震锚固长度；

l_n——连梁的净跨；

t——夹芯板主钢丝网间距，夹芯板内、外层钢丝网间距；

t_1，t_3——外叶墙、内叶墙厚度；

t_2——保温板厚度。

2.2.4 系数：

η——剪力增大系数；

γ_{RE}——承载力抗震调整系数。

3 材 料

3.0.1 喷涂混凝土强度等级不应低于C30,不宜高于C40,现浇暗柱、暗梁及边缘构件的混凝土强度等级不应低于喷涂混凝土的强度等级。混凝土材料性能应符合现行国家标准《混凝土结构设计规范》GB 50010 的规定。

3.0.2 喷涂混凝土用水泥应符合下列规定:

1 宜选用硅酸盐水泥或普通硅酸盐水泥,不宜使用矿渣水泥或低碱水泥;

2 水泥强度等级不应低于42.5,其性能应符合现行国家标准《通用硅酸盐水泥》GB 175 的规定;

3 水泥进场时,应有质量证明书,并应检查其品种、强度等级、出厂日期等;储存期超过3个月时,应对其强度、安定性及其他必要的性能指标进行复查试验,并应按试验结果使用;

4 当加入速凝剂时,水泥与速凝剂应有较好的相容性。

3.0.3 喷涂混凝土用砂、石材料应符合下列规定:

1 砂、石应符合现行行业标准《普通混凝土用砂、石质量及检验方法标准》JGJ 52 的规定,砂、石的含泥量和含泥块量的限值应符合现行行业标准《普通混凝土配合比设计规程》JGJ 55 的规定;

2 可选用碎石或卵石,石子的最大粒径不宜大于10mm,且针片状颗粒含量不应大于10%;

3 宜选中粗砂,砂的细度模数应大于2.5,砂中粒径小于0.075mm的颗粒不应超过20%;

4 喷涂混凝土中掺碱性速凝剂时,应避免使用含活性二氧化硅的石材作粗骨料,以防碱-骨料反应;

5 砂、石通过筛网孔径的累计重量百分率应满足表3.0.3的要求。

表 3.0.3 砂、石通过筛网孔径的累计重量百分率（%）

d_s(mm)	0.16	0.315	0.63	1.25	2.50	5.0	10.0
优	5～7	10～15	17～22	23～31	35～43	50～60	100
良	4～8	5～22	13～31	18～41	26～54	40～70	100

注：d_s 为筛网孔径。

3.0.4 喷涂混凝土用粉煤灰应符合下列规定：

1 宜选用Ⅰ级粉煤灰，粉煤灰应经试验合格后方可使用；

2 粉煤灰性能指标应符合现行国家标准《用于水泥和混凝土的粉煤灰》GB/T 1596 的规定。

3 此款删除。

3.0.5 喷涂混凝土用拌和水的水质应符合现行行业标准《混凝土用水标准》JGJ 63 的规定。

3.0.6 喷涂混凝土用外加剂宜选用聚羧酸系高性能减水剂和萘系高效减水剂，减水剂与水泥应有良好的适应性。喷涂混凝土用外加剂应符合现行国家标准《混凝土外加剂》GB 8076、《混凝土外加剂应用技术规范》GB 50119 和《预拌混凝土》GB/T 14902 的有关规定，并应经混凝土试配，性能合格后方可使用。

3.0.7 混凝土夹芯剪力墙建筑的钢筋选用及钢筋的力学性能应符合现行国家标准《混凝土结构设计规范》GB 50010 的规定。

3.0.8 夹芯板应符合下列规定：

1 夹芯板应在工厂制作，标准板宽宜为 1200mm。

2 夹芯板长度应根据楼层层高确定，夹芯板的钢丝网不得在楼层层高范围内拼接，其保温板的下端应比钢丝网片的长度短 50mm。

3 钢丝网架的钢丝网应采用冷拔镀锌钢丝，其直径不应小于 3mm，主要技术指标应符合表 3.0.8-1 的规定。用于外墙的腹丝应采用不锈钢丝，用于内墙的腹丝可采用冷拔镀锌钢丝。用于外墙的外叶墙中的冷拔钢丝镀锌层质量不应小于 $122g/m^2$，其余部位的冷拔钢丝镀锌层质量不应小于 36g/m²。焊接用不锈钢丝可采用 H05Cr22Ni11Mn6Mo3VN、H10Cr17Ni8Mn8Si4N 等奥氏体不锈钢丝，化学成分及允许偏差等应符合现行行业标准《焊接用不锈钢丝》YB/T 5092 的规定，不锈钢丝的主要技术指标应符合表 3.0.8-2 的规定。

表 3.0.8-1 冷拔镀锌钢丝的主要技术指标

d_{cw} (mm)	$f_{cw,yk}$ (N/mm²)	$f_{cw,y}$ (N/mm²)	$f'_{cw,y}$ (N/mm²)	V_u (N)	E_{cw} (10^5N/mm²)	伸长率 δ_{10} (%)	T (次)
3.0	550	320	320	$150A_{cw}$	2.00	5	4
4.0							
5.0							

注：d_{cw} 为冷拔镀锌钢丝直径；$f_{cw,yk}$ 为冷拔镀锌钢丝强度标准值；$f_{cw,y}$、$f'_{cw,y}$ 分别为冷拔镀锌钢丝抗拉、抗压强度设计值；V_u 为冷拔镀锌钢丝焊点受剪承载力；A_{cw} 为冷拔镀锌钢丝截面面积(mm²)；E_{cw} 为冷拔镀锌钢丝弹性模量；T 为冷拔镀锌钢丝反复弯曲试验次数，反复弯曲试验为反复 180°的试验。

表 3.0.8-2 不锈钢丝的主要技术指标

d_w (mm)	$f_{w,yk}$ (N/mm²)	$f_{w,y}$ (N/mm²)	$f'_{w,y}$ (N/mm²)	V_u (N)	E_w (10^5N/mm²)
3.0	550	320	320	斜插：$300A_w$ 直插：$150A_w$	2.00
4.0					
5.0					

注：d_w 为不锈钢丝直径；$f_{w,yk}$ 为不锈钢丝强度标准值；$f_{w,y}$、$f'_{w,y}$ 分别为不锈钢丝抗拉、抗压强度设计值；V_u 为不锈钢丝与冷拔镀锌钢丝焊点受剪承载力；A_w 为不锈钢丝截面面积(mm²)；E_w 为不锈钢丝弹性模量。

4 夹芯板上、下端应采用直插腹丝封口。

5 夹芯板表面平整度的误差不应大于 5mm。

6 钢丝网片的强度、伸长率和冷弯的试验方法应符合现行行业标准《冷拔低碳钢丝应用技术规程》JGJ 19 的规定。

7 夹芯板的芯板可采用模塑聚苯乙烯泡沫塑料(EPS)板、挤塑聚苯乙烯泡沫塑料(XPS)板等。其主要性能指标应符合表3.0.8-3的规定。

表3.0.8-3 保温板主要性能指标

项目	性能指标	
	EPS	XPS
表观密度(kg/m^3)	≥22	≥22
导热系数[W/(m·K)]	≤0.039	≤0.032(不带表皮) ≤0.030(带表皮)
压缩强度(MPa)	≥0.10	≥0.20
垂直于板面的抗拉强度(MPa)	≥0.10	≥0.20
尺寸稳定性(%)	≤0.30	≤1.0
吸水率(%)	≤3.0	≤1.5
燃烧性能	不低于B_2级	

注:表中各性能指标按现行行业标准《建筑用混凝土复合聚苯板外墙外保温材料》JG/T 228中规定的方法进行检测。

8 夹芯板的保温板表面应喷涂水泥基界面剂,界面剂的技术性能指标应符合表3.0.8-4的规定。

表3.0.8-4 界面剂的技术性能指标

项目		性能指标
拉伸粘结强度(与模塑聚苯界面)(MPa)	常温状态(14d)	≥0.10
	耐水	
	耐热	
	耐冻	

9 用于夹芯内墙的夹芯板规格可按本规程附录A选用。

10 用于保温剪力墙的夹芯板规格可按本规程附录B选用。

11 用于保温夹芯外墙的夹芯板规格可按本规程附录C选用。

3.0.8A 当墙体采用现浇工艺施工时,混凝土宜采用自密实混凝土或大流动性的普通混凝土，其材料性能及强度指标，应符合现行国家标准《混凝土结构设计规范》GB 50010 的规定。对夹芯内墙、保温夹芯外墙和保温剪力墙的外叶墙，混凝土用砂、石材料尚应符合本规程第 3.0.3 条的规定。

4 基本规定

4.0.1 混凝土夹芯剪力墙建筑的结构安全等级和设计使用年限应符合现行国家标准《工程结构可靠性设计统一标准》GB 50153 的规定。

4.0.2 抗震设防的混凝土夹芯剪力墙建筑，应按现行国家标准《建筑工程抗震设防分类标准》GB 50223 确定其抗震设防类别及其抗震设防标准。

4.0.3 全夹芯剪力墙结构的房屋高度不应大于 24m。部分框支全夹芯剪力墙结构的框支层不应超过底部两层。

4.0.4 内夹芯保温剪力墙结构的房屋高度，抗震设防烈度为 6、7 度时不应大于 45m，抗震设防烈度为 8 度时不应大于 36m。部分框支内夹芯保温剪力墙结构的框支层不应超过底部两层。

4.0.5 抗震设防的丙类建筑混凝土夹芯剪力墙结构的抗震等级，应按表 4.0.5 确定。

表 4.0.5 混凝土夹芯剪力墙结构的抗震等级

<table>
<tr><th colspan="3" rowspan="2">结构类型</th><th colspan="6">烈度</th></tr>
<tr><th colspan="2">6</th><th colspan="2">7</th><th colspan="2">8</th></tr>
<tr><td rowspan="2">混凝土夹芯剪力墙结构</td><td colspan="2">高度 h（m）</td><td>$h\leq 24$</td><td>$24<h\leq 45$</td><td>$h\leq 24$</td><td>$24<h\leq 45$</td><td>$h\leq 24$</td><td>$24<h\leq 36$</td></tr>
<tr><td colspan="2">剪力墙</td><td>四</td><td>三</td><td>四</td><td>三</td><td>三</td><td>二</td></tr>
<tr><td rowspan="4">部分框支混凝土夹芯剪力墙结构</td><td colspan="2">高度 h（m）</td><td>$h\leq 24$</td><td>$24<h\leq 45$</td><td>$h\leq 24$</td><td>$24<h\leq 45$</td><td>$h\leq 24$</td><td>$24<h\leq 36$</td></tr>
<tr><td rowspan="2">剪力墙</td><td>一般部位</td><td>四</td><td>三</td><td>四</td><td>三</td><td>三</td><td>二</td></tr>
<tr><td>加强部位</td><td>三</td><td>二</td><td>三</td><td>二</td><td>二</td><td>一</td></tr>
<tr><td colspan="2">框支层框架</td><td>二</td><td>二</td><td>二</td><td>一</td><td colspan="2">一</td></tr>
</table>

注：1 表中剪力墙包括夹芯内墙、保温剪力墙、保温夹芯外墙及普通现浇剪力墙。无注明时，夹芯内墙、保温剪力墙、保温夹芯外墙及普通现浇剪力墙均称为剪力墙。

2 乙类建筑混凝土夹芯剪力墙结构的抗震等级，6、7度时，应按表内高于本地区抗震设防烈度1度的要求确定其抗震等级；8度时，应比表内的抗震等级提高一级，已为一级时，应采取比一级更有效的抗震构造措施。

3 建筑场地为Ⅰ类时，对乙类建筑应允许按本地区抗震设防烈度的要求采取抗震构造措施；对丙类建筑，除6度外，应允许按表内降低1度所对应的抗震等级采取抗震构造措施；相应的计算要求不应降低。

4.0.5A 普通保温剪力墙结构的房屋适用高度及抗震等级应符合国家现行标准《建筑抗震设计规范》GB 50011、《高层建筑混凝土结构技术规程》JGJ 3 的规定。

4.0.6 混凝土夹芯剪力墙建筑的建筑形体及其构件布置应符合现行国家标准《建筑抗震设计规范》GB 50011 等的规定。

4.0.7 承担混凝土夹芯剪力墙建筑的施工单位应具备相应的资质，并应建立相应的质量管理体系、施工质量控制和检验制度。

4.0.8 喷涂混凝土施工应采取有效的环境保护措施。

5 建筑设计和节能

5.0.1 混凝土夹芯剪力墙建筑的墙体类型可分为保温剪力墙、夹芯内墙和保温夹芯外墙(图 5.0.1)。保温剪力墙可用于严寒和寒冷地区多层和高层建筑的外墙,夹芯内墙可用于多层和高层建筑的内墙,保温夹芯外墙可用于寒冷地区多层和严寒地区低层建筑的外墙。

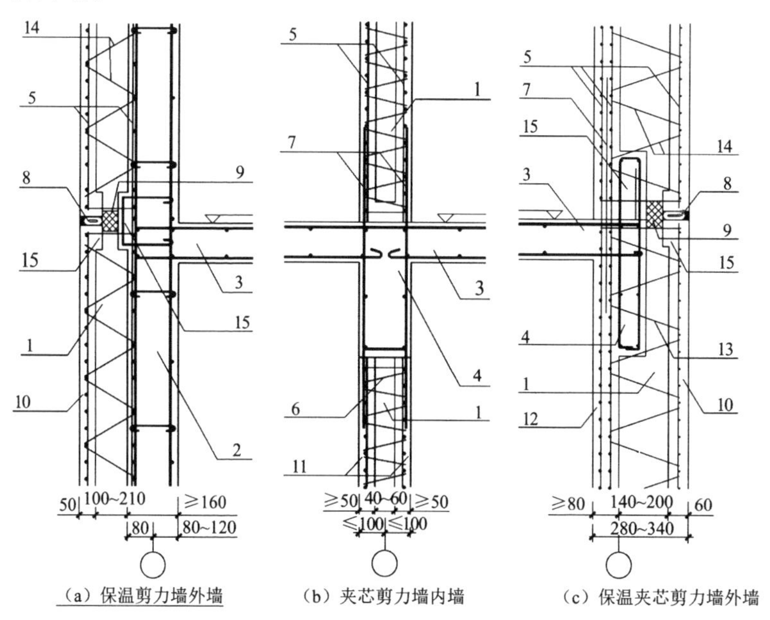

图 5.0.1 保温剪力墙外墙、夹芯剪力墙内墙及保温夹芯剪力墙外墙剖面图

1—保温板;2—现浇剪力墙内叶墙;3—楼板;4—现浇暗梁;5—钢丝网;
6—ϕ^b4 斜插腹丝;7—连接钢筋;8—变形缝;9—防火岩棉条(根据防火设计要求确定);
10—非承重混凝土外叶墙;11—承重混凝土墙;12—承重混凝土内叶墙;
13—$\phi5$ 斜插腹丝;14—$\phi4$ 斜插腹丝;15—挑口

5.0.2 混凝土夹芯剪力墙结构的层高不宜大于3.6m，全夹芯剪力墙结构的端开间不宜大于3.6m，其他开间不宜大于4.2m。

5.0.3 混凝土夹芯剪力墙建筑适用的最大高宽比宜符合表5.0.3的规定。

表5.0.3 混凝土夹芯剪力墙建筑适用的最大高宽比

设防烈度	适用的最大高宽比
6度	6
7度	5
8度	4

5.0.4 保温剪力墙外叶墙及现浇剪力墙内叶墙的厚度应符合下列规定：

1 混凝土外叶墙的厚度不应小于50mm；

2 现浇剪力墙内叶墙的最小厚度，应符合现行国家标准《建筑抗震设计规范》GB 50011抗震墙结构抗震墙最小厚度的规定。

5.0.5 夹芯内墙一面混凝土的厚度，底部加强部位不应小于70mm，其他部位喷涂时不应小于50mm、现浇时不应小于60mm，且不宜大于100mm；保温夹芯外墙混凝土的厚度，外叶墙宜为60mm，内叶墙的厚度底部加强部位可为100mm，其他部位不应小于80mm。

5.0.6 混凝土夹芯剪力墙结构防震缝宽度应符合下列规定：

1 建筑高度不超过30m时，不应小于100mm；

2 建筑高度超过30m时，6度、7度和8度分别每增加5m、4m和3m，宜加宽10mm。

5.0.7 混凝土夹芯剪力墙结构伸缩缝的最大间距应符合下列规定：

1 全夹芯剪力墙结构不宜大于35m；

2 当采用喷涂混凝土工艺时，内夹芯保温剪力墙结构不宜大于60m。

5.0.8 混凝土夹芯剪力墙建筑的防震缝和伸缩缝应结合，并应符合下列规定：

1 严寒地区及寒冷地区，缝的两侧宜采用普通剪力墙；

2 缝的外墙缝口和室内洞口，应采用弹性保温材料封严，并宜用可变形金属盖板封堵。

5.0.9 混凝土夹芯剪力墙建筑的轴线定位应符合下列规定：

1 应按模数空间网格定位，平面模数网格宜采用3M，竖向模数网格宜采用1M；

2 保温剪力墙平面轴线可根据上层现浇剪力墙内叶墙中心线定位，外侧墙面应齐平，上、下保温板厚度应一致；

3 保温夹芯外墙平面轴线可根据160mm厚的暗柱、暗梁和连梁中心线定位，上、下保温板厚度应一致；

4 夹芯内墙平面轴线可根据其首层夹芯内墙中心线定位；

5 层高定位可采用下列方法：

1）采用现浇楼盖时，模数层高可按楼板表面定位；

2）采用装配整体式楼盖时，模数层高可按现浇层上表面定位；

3）首层可按夹芯内墙基础顶面定位。

5.0.10 在计算保温剪力墙及保温夹芯外墙的热工性能指标时，应考虑保温材料内斜插或直插钢丝对保温板导热系数的影响，并按下列原则确定导热修正系数：

1 当采用$\phi 4$不锈钢丝50根/m^2时，EPS保温板导热修正系数取1.25，XPS保温板导热修正系数取1.30；

2 当腹丝为其他直径或根数时，保温板导热修正系数可按腹丝截面总面积进行比例调整。

5.0.11 保温剪力墙的外叶墙应设置水平变形缝和竖向变形缝（图5.0.11），并应符合下列规定：

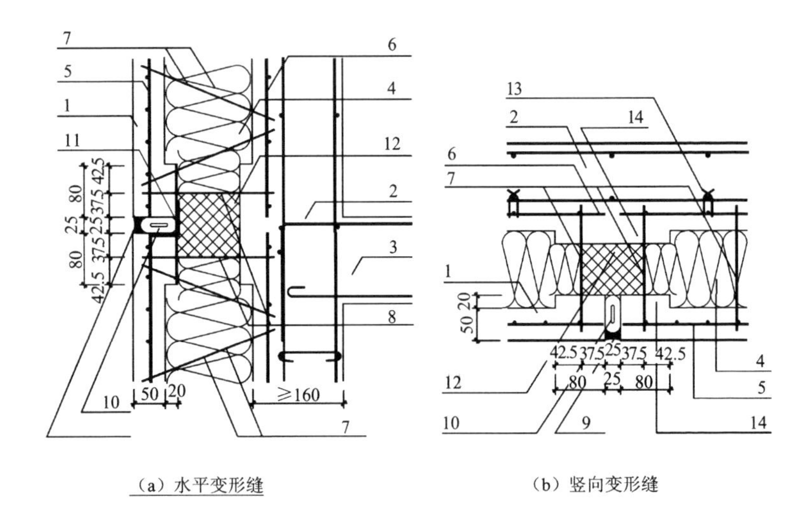

（a）水平变形缝

（b）竖向变形缝

图 5.0.11 保温剪力墙外叶墙变形缝构造

1—外叶墙；2—现浇剪力墙内叶墙；3—楼板；4—保温板；
5—外层钢丝网；6—内层钢丝网；7—斜插腹丝；8—直插腹丝；
9—弹性密封胶；10—发泡聚乙烯棒；11—止水；
12—通长防火岩棉条(根据防火设计要求确定)；
13—$\phi^{b}2$ 绑扣；14—挑口

1 采用斜插腹丝时应每层设置 1 道水平变形缝。当保温板厚度小于 100mm 时，斜插腹丝直径不应小于 3mm，且沿外叶墙四周变形缝、诱导缝边缘，应设置不锈钢筋挑件，钢筋直径不小于 10mm，间距不大于 600mm，且能满足外叶墙在自重及平面内水平方向地震作用下的受力要求；

1A 采用直插腹丝时可每 2 层设置 1 道水平变形缝，并应设置挑板或不锈钢筋挑件承受外叶墙自重及平面内双向地震作用。直插不锈钢腹丝直径不宜小于 4mm，腹丝双向间距不应大于 300mm，且应满足外叶墙平面外地震作用的需要。此时，尚应根据喷涂或现浇混凝土施工工艺的需要设置适量的斜插腹丝；

1B 竖向变形缝的水平间距不宜大于10m。当采用斜插腹丝时，应在两道竖向变形缝中间部位设置挑板或不锈钢筋挑件承受外叶墙平面内水平地震作用；

2 变形缝宽可为25mm，缝内应嵌填发泡聚乙烯棒，应采用阻燃型弹性密封胶封堵，沿水平缝用胶粘剂粘通长L形50×2PVC止水；

3 变形缝处外叶墙与现浇剪力墙内叶墙之间可根据防火设计要求设防火岩棉条，防火岩棉条的截面尺寸可为100mm×100mm；

4 保温板在变形缝处应与岩棉条紧密连接；

5 保温板厚度不小于120mm时，外叶墙在水平变形缝的上下和竖向变形缝的两侧应设置挑口，挑口尺寸沿墙的厚度方向可为20mm、沿墙的高度方向或长度方向可为80mm；

6 保温板厚度不小于140mm时，现浇剪力墙内叶墙在水平变形缝的上下和竖向变形缝的两侧应设置挑口，挑口尺寸沿墙的高度方向或长度方向可为80mm，沿墙的厚度方向可根据保温板的厚度确定。

5.0.12 保温剪力墙窗洞口的构造(图5.0.12)应符合下列规定，门洞口的构造可参照窗洞口的构造要求执行：

1 外叶墙在洞口边应设挑口，挑口尺寸沿墙的厚度方向可为20mm、沿墙的高度方向或长度方向可为80mm；

2 现浇剪力墙内叶墙在洞口边应设挑口，挑口尺寸沿墙的厚度方向可根据保温板的厚度确定，沿墙的高度方向或长度方向可为80mm，挑口应配置钢筋；

3 外叶墙挑口与现浇剪力墙内叶墙挑口之间可根据防火设计要求设防火岩棉条，岩棉条在墙厚方向的宽度可为60mm。

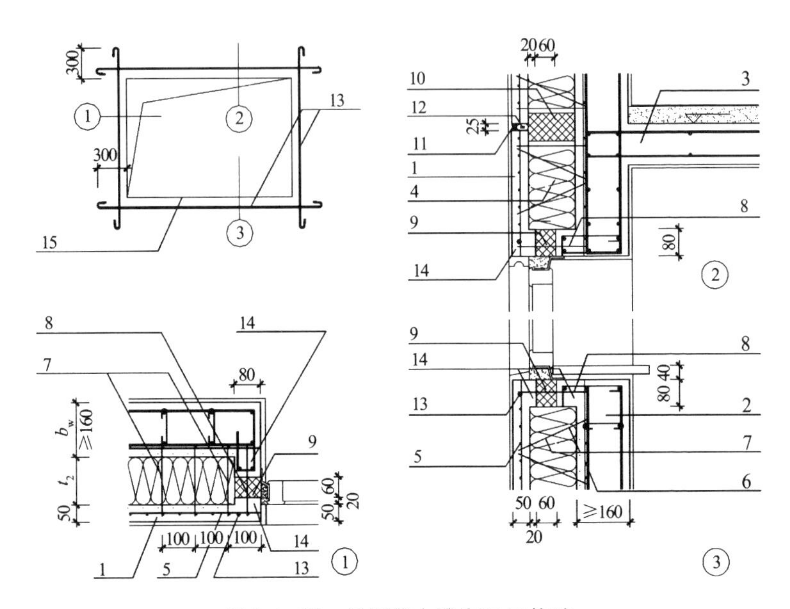

图 5.0.12 保温剪力墙窗洞口构造

1—外叶墙；2—现浇剪力墙内叶墙；3—楼板；4—保温板；5—外层钢丝网；6—内层钢丝网；7—斜插腹丝；8—直插腹丝；9—防火岩棉条（根据防火设计要求确定）；10—水平变形缝防火岩棉条（根据防火设计要求确定）；11—弹性密封胶；12—发泡聚乙烯棒；13—洞口附加 $\phi 6$ 钢筋；14—洞口边挑口；15—窗洞口

注：1 图中所示拉结腹丝按斜插形式示意；

2 满足建筑节能要求时，图中防火岩棉条处也可喷涂或现浇混凝土将内、外叶墙连成一体，此时外墙表面应抹一定厚度的保温砂浆以防止冷桥。

5.0.13 保温夹芯外墙的构造（图 C.0.1）应符合下列规定：

1 外叶墙应设置水平变形缝和竖向变形缝，应每层设置 1 道水平变形缝，水平变形缝宜设置在首层地面及每层楼板标高处，竖向变形缝的水平间距不宜大于10m；

1A 当保温板厚度小于 140mm 时，沿四周变形缝和门窗洞口边缘，应设置不锈钢筋拉结件，钢筋直径不小于 10mm，间距不大于 600mm，且能满足外叶墙在自重及平面内水平方向地震作用下的受力要求；

2 变形缝宽可为25mm，缝内应嵌填发泡聚乙烯棒，应采用弹性密封胶封堵；

3 保温板在变形缝处应与岩棉条紧密连接；

4 保温板厚度不小于130mm时，外叶墙在水平变形缝的上下和竖向变形缝两侧应设置挑口，挑口尺寸沿墙的厚度方向可为20mm、沿墙的高度方向或长度方向可为80mm；

5 内叶墙应在首层地面及每层楼板标高处设挑口，挑口高度可为200mm，内叶墙厚80mm时挑口沿墙的厚度方向可为80mm，内叶墙厚100mm时挑口沿墙的厚度方向可为60mm，首层内叶墙挑口与基础梁之间、其余各层内叶墙挑口与下一层的暗梁之间，应设置ϕ5@100连接箍筋，挑口应配置2根直径不小于8mm的水平钢筋；

6 变形缝处外叶墙与内叶墙之间可根据防火设计要求设防火岩棉条，其截面尺寸可为100mm×100mm。

5.0.14 保温夹芯外墙门窗洞口构造可按本规程第5.0.12条保温剪力墙窗洞口构造要求执行，并应符合下列规定：

1 外叶墙在洞口边应设挑口，挑口尺寸沿墙的厚度方向可为20mm、沿墙的高度方向或长度方向可为80mm；

2 内叶墙在洞口边应设挑口，挑口尺寸沿墙的高度方向或长度方向可为80mm，沿墙的厚度方向可根据夹芯板的厚度确定；

3 内、外叶墙挑口之间可根据防火设计要求设防火岩棉条，岩棉条在墙厚方向的宽度可为60mm，沿墙高方向及沿墙长方向的尺寸可为80mm。

5.0.15 有保温要求的夹芯内墙，每侧墙面可抹20mm厚无机保温砂浆，在门洞边角宜用玻纤网格布提高抗裂能力。

5.0.16 寒冷和严寒地区的楼梯间采用现浇剪力墙时，墙面应抹40mm厚无机保温砂浆；采用夹芯内墙时，墙面应抹20mm厚无机保温砂浆。

5.0.17 当需要减少楼层间传热时，可在楼板填层中铺设50mm

厚挤塑聚苯乙烯泡沫塑料板。

5.0.18 阳台和雨罩宜由楼板直接挑出，挑出长度大于 1.3m 时，应设承重挑梁。

5.0.19 封闭阳台窗下槛墙宜采用保温剪力墙（图 5.0.19）的构造，并应符合下列规定：

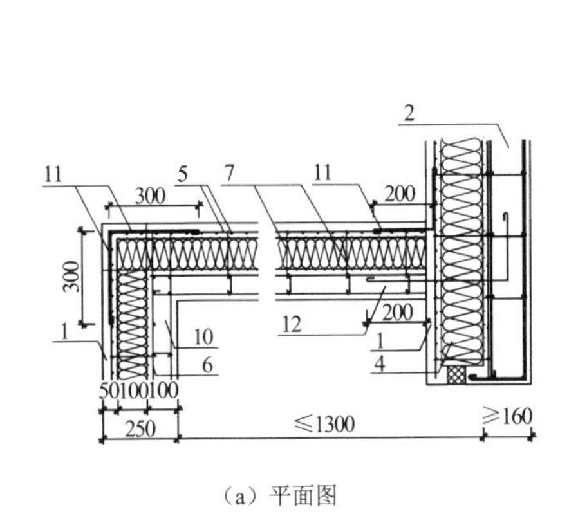

(a) 平面图

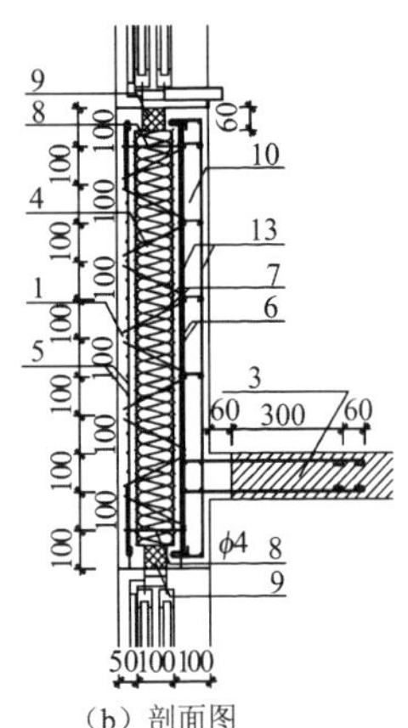

(b) 剖面图

图 5.0.19 封闭阳台窗下槛墙构造

1—外叶墙；2—主体结构外墙的现浇剪力墙内叶墙；3—楼板；4—保温板；
5—外层钢丝网；6—内层钢丝网；7—斜插腹丝；8—直插腹丝；
9—60mm×60mm 通长防火岩棉条（根据防火设计要求确定）；
10—窗下槛墙现浇内叶墙；11—附加 ϕ6 角筋，间距不大于 200mm；
12—ϕ6 拉筋，间距不大于 300mm，锚入窗下槛墙现浇内叶墙；
13—ϕ8 钢筋，间距不大于 200mm

1 外叶墙混凝土厚度不应小于 50mm，内叶墙现浇混凝土厚度不宜小于 100mm；

2 作用在窗下槛墙的水平荷载设计值不大于 $2kN/m^2$ 时，内叶墙的竖向钢筋直径可为 8mm、间距可为 200mm；

3 内叶墙的竖向钢筋应锚入阳台楼板，锚入长度不应小于 300mm；

4 保温板厚度可按保温剪力墙平均传热系数确定，保温板厚

60mm 时平均传热系数可取 0.8 W/(m^2·K)，保温板厚 100mm 时平均传热系数可取 0.5 W/(m^2·K)。

5.0.20 此条删除。

5.0.21 非承重隔墙宜采用轻质墙材。隔墙与承重结构墙之间应进行拉结。当采用水平钢筋拉结时，拉结钢筋沿高度间距不宜大于500mm，拉结钢筋数量不宜少于 2 根、直径不宜小于 6mm；当采用隔墙设置配筋现浇带拉结时，现浇带间距不宜大于 1000mm，现浇带的钢筋数量不宜少于 2 根、直径不宜小于 10mm。拉结钢筋或现浇带钢筋应伸入承重结构墙不少于 35d(d 为钢筋直径)。

5.0.21A 现浇非承重隔墙、夹芯混凝土连梁及夹芯混凝土窗下墙可采用在夹芯板的两侧面喷涂或现浇混凝土形成的混凝土夹芯填充墙。用于填充墙的夹芯板规格可参考表 A.0.2 选用，钢丝间距不应大于 50mm，两侧面混凝土厚度不应小于 50mm。填充墙双向钢筋或钢丝的最小配筋率不宜小于 0.15%并应满足抗震、抗风的承载能力要求。填充墙宜与两侧主体结构设变形缝或诱导缝连接。

5.0.22 外径不大于 32mm 的竖向和水平管线，可预埋在夹芯内墙内；夹芯内墙两侧电器插座、接线盒宜错开安装，不能错开安装时，可局部去除保温板，插座或接线盒之间应用混凝土填实。

5.0.23 采用喷涂工艺施工时，夹芯内墙两侧及保温夹芯外墙内叶墙的喷涂混凝土硬化后，应在其表面刷混凝土界面处理剂，然后可采用 12mm 厚1∶3∶9水泥石灰膏砂浆打底、2mm 厚耐水腻子找平，以备做饰面。

5.0.24 采用喷涂工艺施工时，保温夹芯外墙外叶墙和保温剪力墙外叶墙的喷涂混凝土硬化后，应在其表面刷混凝土界面处理剂，然后可采用 12mm 厚 1∶3 水泥砂浆打底找平扫毛、6mm 厚 1∶2.5 水泥砂浆罩面，以备做外叶墙饰面。

5.0.25 保温剪力墙的外叶墙饰面可干挂石材或粘贴面砖。

5.0.26 浴厕、厨房沿外墙内侧混凝土基层，宜采用 6mm～8mm 厚防水聚合物砂浆防潮，沿室内墙根与地面交接处应进行防水处理。

6 结构设计

6.1 一般规定

6.1.1 混凝土夹芯剪力墙结构的自重荷载、楼(屋)面活荷载、风荷载及屋面雪荷载等应按现行国家标准《建筑结构荷载规范》GB 50009 的有关规定采用。

6.1.2 混凝土夹芯剪力墙结构多遇地震作用下的水平地震作用及作用效应,可按现行国家标准《建筑抗震设计规范》GB 50011 规定的振型分解反应谱法计算;计算水平地震作用时,结构的阻尼比可取为 0.05。

6.1.3 混凝土夹芯剪力墙结构在持久设计状况和短暂设计状况下的荷载效应组合,以及地震设计状况下的荷载和地震作用效应组合,应按国家现行标准《建筑抗震设计规范》GB 50011 和《高层建筑混凝土结构技术规程》JGJ 3 等的规定执行。

6.1.4 混凝土夹芯剪力墙结构在风荷载和多遇地震作用下的内力和变形,可采用弹性方法计算,并应符合下列规定:

1 采用程序计算时,应按空间整体结构进行计算分析;

2 采用现浇混凝土楼(屋)盖或装配整体式混凝土楼(屋)盖时,可假定楼(屋)盖在其自身平面内为无限刚性。

6.1.5 混凝土夹芯剪力墙结构墙肢弹性刚度计算、墙肢承载力计算、最小配筋率及墙肢轴压比计算时,保温剪力墙的厚度应取现浇剪力墙内叶墙混凝土厚度,夹芯内墙的厚度应取夹芯板两侧混凝土厚度之和,保温夹芯外墙的厚度应取内叶墙厚度。

6.1.6 当夹芯混凝土连梁或夹芯混凝土窗下墙与夹芯内墙之间设置间隙、且未配置水平钢筋时,夹芯内墙及保温夹芯外墙的连梁高度可取现浇暗梁的高度。

6.1.7 夹芯内墙、保温剪力墙及保温夹芯外墙底部加强部位的高度、墙肢轴压比限值，以及保温剪力墙的现浇剪力墙内叶墙的构造要求及边缘构件设置，应符合现行国家标准《建筑抗震设计规范》GB 50011 抗震墙的有关规定。

6.1.8 混凝土夹芯剪力墙结构中的剪力墙设置，应符合下列规定：

1 电梯间墙体应采用现浇剪力墙，墙厚不宜小于 160mm；

2 楼梯间墙体可采用夹芯内墙，夹芯内墙在楼梯梁位置应设置现浇暗柱；

3 应最少设置一道内纵墙；

4 除洞口两侧的墙端外，剪力墙的两端宜与另一方向的剪力墙相连，框支层落地墙的两端应与另一方向的剪力墙相连；

5 较长的剪力墙宜开洞分成长度较均匀的墙段，洞口上连梁的跨高比宜大于 6，各墙段的总高与其长度之比不宜小于 3；

6 墙肢长度沿结构全高不宜有突变；

7 剪力墙有较大洞口时，以及一、二级剪力墙的底部加强部位，洞口宜上下对齐。

6.1.9 部分框支混凝土夹芯剪力墙结构应符合下列规定：

1 框支层的楼层侧向刚度不应小于相邻非框支层楼层侧向刚度的 50%；

2 底部加强区的剪力墙宜采用现浇剪力墙，其平面布置宜对称，间距不宜大于 24m；

3 底层框架部分承担的地震倾覆力矩，不应大于结构总地震倾覆力矩的 50%；

4 转换层楼板厚度不宜小于 180mm，转换层上下一层楼板厚度不宜小于 150mm。

6.1.10 较长的夹芯内墙及保温夹芯外墙应设置现浇暗柱，并应符合下列规定：

1 暗柱之间夹芯内墙及保温夹芯外墙的长度不宜大于

2400mm；

2 山墙的暗柱截面长不宜小于400mm，其他部位的暗柱截面长不宜小于300mm；

3 夹芯内墙暗柱宽应与夹芯内墙的总厚度相同，保温夹芯外墙暗柱宽应为160mm；

4 暗柱的竖向钢筋不应少于6根、直径不应小于10mm，暗柱的箍筋直径不应小于8mm、间距不应大于200mm；

5 暗柱与夹芯内墙及保温夹芯外墙应采用钢筋连接，且应符合本规程第7.2.1条的规定；

6 上下层暗柱应对位。

6.1.11 一字独立夹芯内墙的最小长度不宜小于1600mm，其两端应设置现浇边缘构件，边缘构件截面长不宜小于400mm、截面宽应与夹芯内墙的总厚度相同。

6.1.12 夹芯内墙及保温夹芯外墙应在每层楼盖标高位置设置连续的暗梁，暗梁应符合下列规定：

1 暗梁截面高度不应小于400mm；

2 夹芯内墙暗梁宽应与夹芯内墙的总厚度相同，保温夹芯外墙的暗梁宽不应小于160mm；

3 暗梁作为连梁时，其配筋应符合现行行业标准《高层建筑混凝土结构技术规程》JGJ 3连梁配筋的有关规定，且不应少于连梁以外其他部位暗梁的配筋；

4 对于夹芯内墙，连梁以外其他部位暗梁的配筋宜符合下列规定：纵筋直径不宜小于10mm，数量不宜少于6根，箍筋直径不宜小于8mm，间距不宜大于200mm；

5 对于保温夹芯外墙，连梁以外其他部位暗梁的配筋宜符合下列规定：纵筋直径不宜小于10mm，数量不宜少于6根，箍筋应伸进内叶墙挑口，直径可为5mm，间距不宜大于200mm。

6.1.13 夹芯内墙及保温夹芯外墙的门窗洞口宽度不宜大于2400mm，夹芯内墙门洞口边的墙肢截面长度不宜小于300mm，保温夹芯外墙的墙肢截面长度不宜小于表6.1.13规定的最小尺寸。

表6.1.13 保温夹芯外墙墙肢截面长度最小尺寸(mm)

局部墙肢位置	设防烈度		
	6	7	8
承重窗间墙	1000	1200	1200
尽端至门窗洞口边	1000	1000	1200

6.1.14 混凝土夹芯剪力墙结构可采用现浇楼(屋)盖。采用装配整体式楼(屋)盖时,应采用配筋现浇混凝土面层加强,混凝土厚度不宜小于50mm、强度等级不宜低于C20,应双向配置直径6mm、间距150mm或直径8mm、间距200mm的钢筋网,钢筋应锚固在墙内。

6.1.15 混凝土夹芯剪力墙结构设置地下室时,±0.00以下外墙应采用现浇剪力墙,其厚度不应小于200mm;无地下室时,±0.00以下应采用现浇混凝土条形基础或筏形基础。

6.1.16 混凝土夹芯剪力墙结构在风荷载和多遇地震作用下按弹性方法计算的楼层最大层间位移与层高之比不宜大于1/1000。

6.1.16A 混凝土夹芯剪力墙结构的底部加强部位应符合下列规定:

1 3层以上全夹芯剪力墙结构的底部加强部位应沿竖向配置普通钢筋作为墙体竖向分布钢筋,竖向钢丝仅起构造作用;

2 8层以上内夹芯保温剪力墙结构的底部加强部位内墙应采用普通现浇剪力墙。

6.1.16B 普通保温剪力墙结构的结构设计应符合国家现行标准《建筑抗震设计规范》GB 50011、《高层建筑混凝土结构技术规程》JGJ 3等的规定。

6.2 截面计算

6.2.1 按有地震作用效应组合设计的混凝土夹芯剪力墙结构构

件的承载力抗震调整系数 γ_{RE} 应按表 6.2.1 采用。

表 6.2.1 承载力抗震调整系数 γ_{RE}

构件类别	梁	轴压比小于 0.15 的柱	轴压比不小于 0.15 的柱	剪力墙		各类构件	节点
受力状态	受弯	偏压	偏压	偏压	局部承压	受剪、偏拉	受剪
γ_{RE}	0.75	0.75	0.80	0.85	1.00	0.85	0.85

6.2.2 一级剪力墙底部加强部位的以上部位，墙肢的组合弯矩设计值应乘以增大系数 1.2，剪力设计值应相应调整。

6.2.3 剪力墙底部加强部位截面组合的剪力设计值应按下式调整，四级时可不调整：

$$V = \eta_{vw} V_w \tag{6.2.3}$$

式中：V——底部加强部位剪力墙截面的剪力设计值；

V_w——底部加强部位剪力墙截面的剪力计算值；

η_{vw}——剪力墙剪力增大系数，一级可取 1.6，二级可取 1.4，三级可取 1.2。

6.2.4 一、二、三级剪力墙的连梁，其梁端截面组合的剪力设计值应按下式调整：

$$V_b = \eta_{vb} \frac{M_b^l + M_b^r}{l_n} + V_{Gb} \tag{6.2.4}$$

式中：V_b——连梁端截面组合的剪力设计值；

l_n——连梁的净跨；

V_{Gb}——连梁在重力荷载代表值作用下，按简支梁分析的连梁端截面剪力设计值；

M_b^l、M_b^r——分别为连梁左右端反时针或顺时针方向组合的弯矩设计值；

η_{vb}——连梁端剪力增大系数，一级可取 1.3，二级可取 1.2，三级可取 1.1。

6.2.5 需要时，夹芯内墙及保温夹芯外墙可配置竖向分布钢筋及水平分布钢筋，钢筋的最小直径应符合现行国家标准《建筑抗震设计规范》GB 50011 的有关规定。

6.2.6 剪力墙截面的承载力计算应符合下列规定：

1 轴力作用下剪力墙的正截面受弯承载力应按现行国家标准《混凝土结构设计规范》GB 50010 有关钢筋混凝土剪力墙正截面受弯承载力的公式计算，应计入两端边缘构件的竖向钢筋；

2 剪力墙截面许可的最大剪力设计值应符合现行国家标准《混凝土结构设计规范》GB 50010 有关钢筋混凝土剪力墙最大剪力设计值的规定；

3 剪力墙的斜截面受剪承载力应按现行国家标准《混凝土结构设计规范》GB 50010 有关钢筋混凝土剪力墙斜截面承载力的公式计算；

4 计算夹芯内墙截面承载力时，应计入夹芯板两侧钢丝网的钢丝；计算保温夹芯外墙截面承载力时，应计入内叶墙钢丝网的钢丝；计算保温剪力墙截面承载力时，可不计入内叶墙钢丝网的钢丝。

6.2.6A 剪力墙截面的稳定性验算应符合下列规定：

1 夹芯内墙及保温夹芯外墙稳定性验算时，墙肢截面的计算厚度取组合截面等效厚度，截面回转半径 i 取对形心的截面等效回转半径；

2 保温剪力墙稳定性验算时，可不考虑外叶墙的有利作用。

6.2.7 剪力墙连梁截面的承载力计算应符合下列规定：

1 连梁截面许可的最大剪力设计值应符合现行国家标准《混凝土结构设计规范》GB 50010 有关钢筋混凝土剪力墙连梁截面最大剪力设计值的规定；

2 连梁的正截面受弯承载力和斜截面受剪承载力，应按现行国家标准《混凝土结构设计规范》GB 50010 有关钢筋混凝土剪力墙连梁正截面受弯承载力和斜截面受剪承载力的公式计算。

7 结构构造

7.1 一般规定

7.1.1 混凝土保护层厚度、钢筋锚固和搭接应符合现行国家标准《混凝土结构设计规范》GB 50010 的有关规定。

7.1.2 当夹芯内墙及保温夹芯外墙配置钢筋时，钢筋的接头位置应避开钢丝网的搭接位置，间距不宜小于 500mm。

7.1.2A 全夹芯剪力墙结构夹芯板中钢丝网的钢丝，当计入受力构件配筋时，直径应符合下列规定：

1 3 层及以下结构的首层钢丝直径不应小于 4mm，首层以上部位不应小于 3mm；

2 3 层以上结构钢丝直径不应小于 4mm。

7.1.2B 内夹芯保温剪力墙结构夹芯板中钢丝网的钢丝，当计入受力构件配筋时，直径应符合下列规定：

1 3 层及以下结构的钢丝直径不应小于 3mm；

2 4～8 层结构的钢丝直径不应小于 4mm；

3 8 层以上结构当采用双层钢丝网时钢丝直径不应小于 4mm，采用单层钢丝网时钢丝直径不应小于 5mm。

7.1.2C 除本规程有明确规定之外，夹芯内墙、保温夹芯外墙和保温剪力墙的直插腹丝和斜插腹丝，直径不应小于 4mm，且不应小于被连接钢丝网钢丝直径的较大值。

7.1.2D 混凝土夹芯剪力墙结构中，受力构件中钢筋及计入配筋的钢丝的总配筋率应符合国家现行有关标准的规定。

7.2 连接及墙体构造

7.2.1 同楼层相邻夹芯内墙及保温夹芯外墙内叶墙的水平钢丝

连接应采用钢筋搭接连接(图 7.2.1),并应符合下列规定:

1 连接钢筋宜采用热轧带肋钢筋,直径不应小于 6mm,间距不应大于 200mm;

2 连接钢筋的受拉承载力不应小于被连接的水平钢丝受拉承载力的 1.2 倍;

3 连接钢筋与钢丝网搭接长度 l_1 不应小于 $1.2l_{aE}$;

4 夹芯墙双层钢丝网的水平连接钢筋应放置在双层网之间,并应与钢丝网绑扎连接。

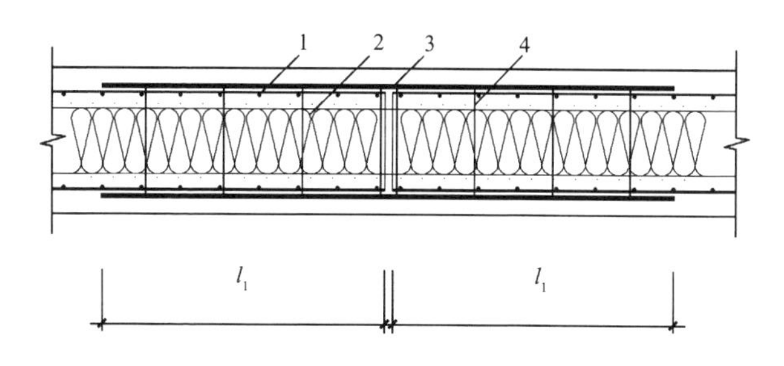

图 7.2.1 同层相邻夹芯内墙水平钢丝连接构造

1—钢丝网;2—保温板;3—连接钢筋;4—斜插腹丝

7.2.2 夹芯内墙的竖向钢丝与基础梁连接、上下楼层相邻夹芯内墙的竖向钢丝连接可采用钢筋搭接连接(图 7.2.2),并应符合下列规定:

1 连接钢筋直径不应小于 8mm,间距不应大于 200mm;

2 与基础之间的连接钢筋应锚入基础内并应满足锚固长度的要求;

3 上下楼层的连接应设置在楼面标高处;

4 双层钢丝网的竖向连接钢筋应放置在双层网之间,并应与钢丝网绑扎连接。

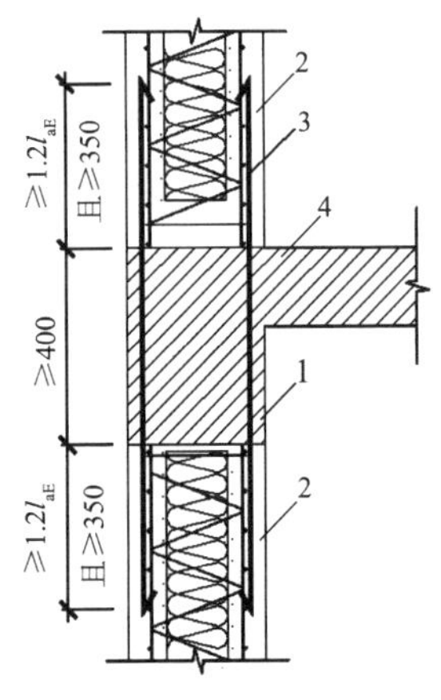

（a）上下层夹芯内墙连接

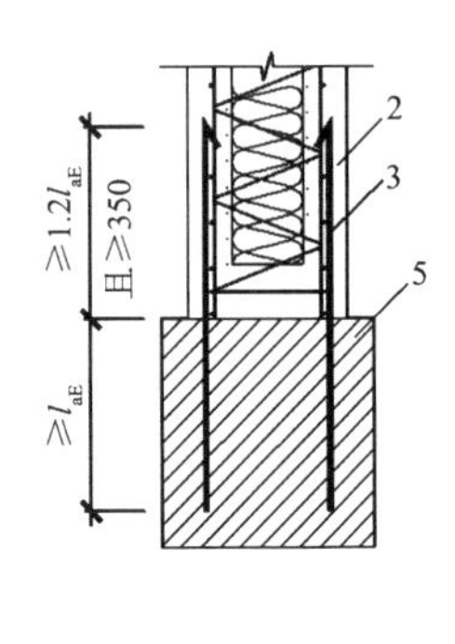

（b）夹芯内墙与基础连接

图 7.2.2-1 夹芯内墙竖向受力钢丝连接构造（单层钢丝网）

1—暗梁；2—夹芯内墙；3—连接钢筋；4—楼板；5—基础梁

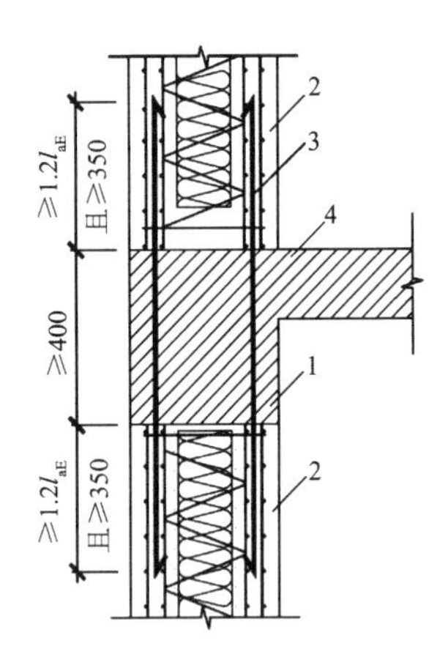

（a）上下层夹芯内墙连接

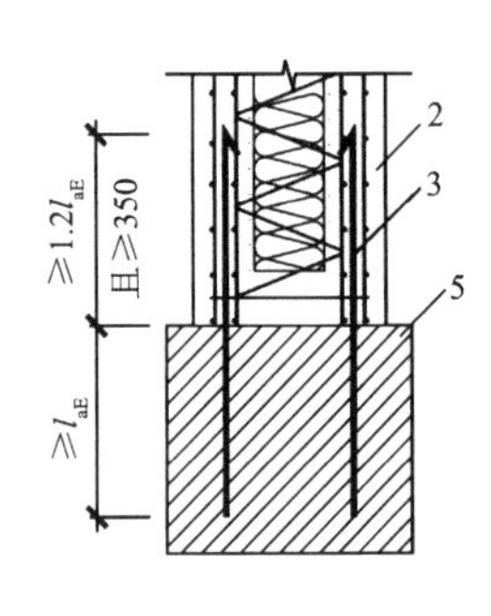

（b）夹芯内墙与基础梁连接

图 7.2.2-2 夹芯内墙竖向受力钢丝连接构造（双层钢丝网）

1—暗梁；2—夹芯内墙；3—连接钢筋；4—楼板；5—基础梁

7.2.3 保温夹芯外墙内叶墙的竖向钢丝与基础连接、上下楼层相邻保温夹芯外墙内叶墙的竖向钢丝连接应采用钢筋搭接连接，并应符合本规程第7.2.2条夹芯内墙竖向钢丝连接的规定。

7.2.4 保温夹芯外墙的外叶墙、保温剪力墙的外叶墙以及夹芯填充墙中夹芯板需要连接时，应采用钢筋搭接连接，水平及竖向连接钢筋应符合下列规定：

1 连接钢筋受拉承载力不应小于被连接钢丝的受拉承载力；

2 连接钢筋直径不应小于6mm，间距不应大于200mm；

3 连接钢筋两端与钢丝网的搭接长度不应小于300mm；

4 双层钢丝网的竖向连接钢筋应放置在双层钢丝网之间。

7.2.5 夹芯内墙及保温夹芯外墙两端和洞口两侧应设置边缘构件，边缘构件包括暗柱和翼墙，并应符合下列规定：

1 抗震等级为二、三级且底层墙肢底截面的轴压比大于0.3时，应在底部加强部位及相邻上一层设置约束边缘构件，在以上的其他部位可设置构造边缘构件；

2 抗震等级为四级，以及抗震等级为二、三级且底层墙肢底截面的轴压比不大于0.3时，可设置构造边缘构件；

3 约束边缘构件的范围及配筋应符合现行国家标准《建筑抗震设计规范》GB 50011抗震墙约束边缘构件的相关规定，竖向钢筋配筋尚应满足截面承载力要求；

4 夹芯内墙构造边缘构件的范围可按图7.2.5-1、图7.2.5-2采用，保温夹芯外墙构造边缘构件的范围可按图7.2.5-3采用，当夹芯内墙结构高度不大于24m时，洞口两侧构造边缘构件长度可取为200mm；

5 构造边缘构件的配筋要求应符合现行国家标准《建筑抗震设计规范》GB 50011抗震墙构造边缘构件配筋的相关规定，竖向钢筋配筋尚应满足截面承载力要求；

6 边缘构件与夹芯内墙、边缘构件与保温夹芯外墙的内叶墙之间，应配置拉结钢筋，拉结钢筋的直径不应小于8mm、间距不应大于 200mm，拉结钢筋可适当计入边缘构件的箍筋，并应符合国家现行有关标准的规定。

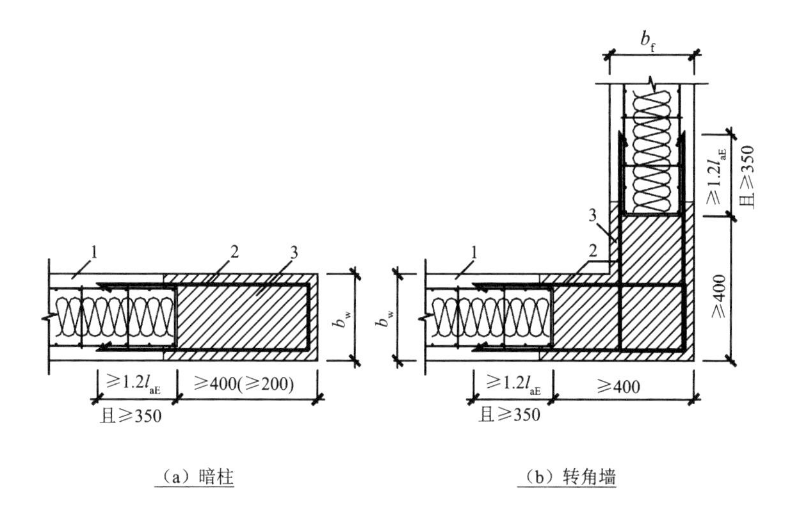

(a) 暗柱

(b) 转角墙

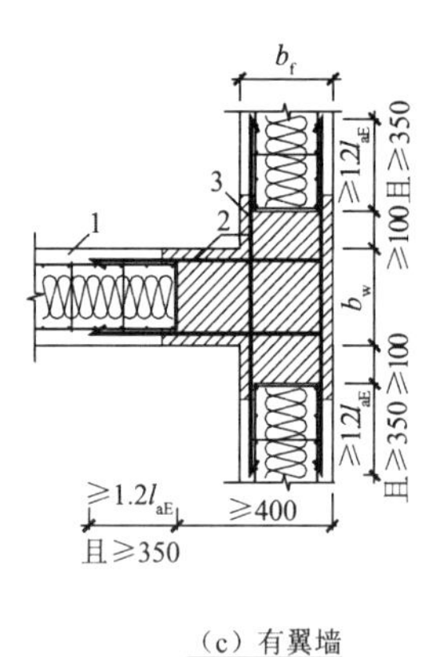

(c) 有翼墙

图 7.2.5-1 夹芯内墙的构造边缘构件范围(单层钢丝网)

1—夹芯内墙；2—拉结钢筋；

3—边缘构件

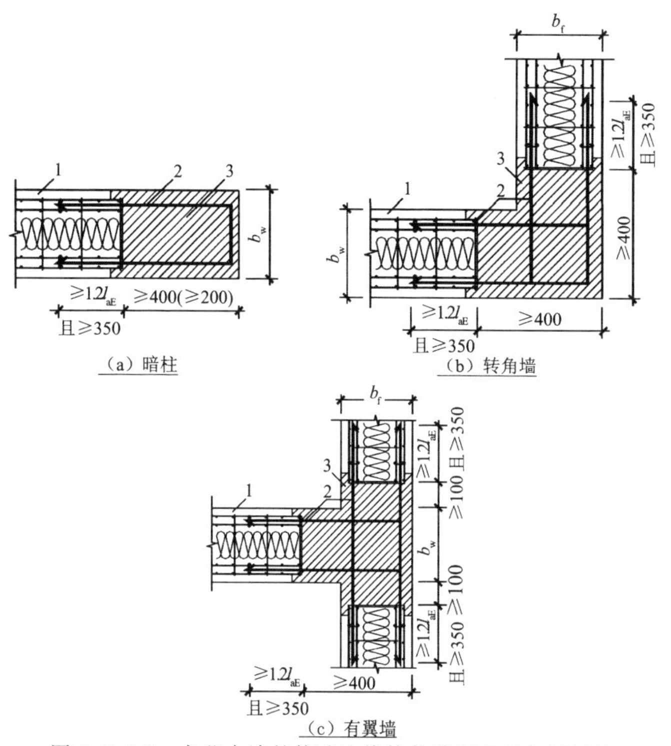

（a）暗柱

（b）转角墙

（c）有翼墙

图 7.2.5-2　夹芯内墙的构造边缘构件范围（双层钢丝网）

1—夹芯内墙；2—拉结钢筋；3—边缘构件

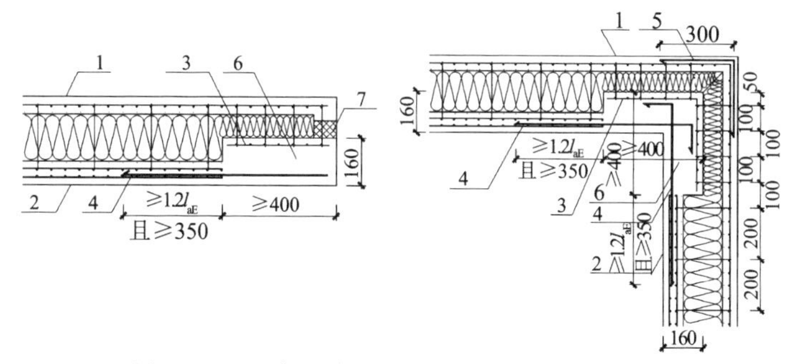

图 7.2.5-3　保温夹芯外墙的构造边缘构件范围

1—外叶墙；2—内叶墙；3—内层钢丝网；4—拉结钢筋；5—转角钢筋；6—边缘构件（图中未画竖向钢筋及箍筋）；7—防火岩棉条（根据防火设计要求确定）

7.2.6 保温剪力墙为夹芯内墙的翼墙时，以及保温夹芯外墙为夹芯内墙的翼墙时，构造边缘构件的范围应符合图 7.2.6-1 和图 7.2.6-2 的规定。边缘构件的配筋要求应符合现行国家标准《建筑抗震设计规范》GB 50011 抗震墙边缘构件配筋的相关规定，竖向钢筋配筋尚应满足截面承载力要求，边缘构件与夹芯内墙之间应采用钢筋拉结，拉结钢筋的直径不应小于 8mm、间距不应大于 200mm，拉结钢筋可适当计入边缘构件的箍筋，并应符合国家现行有关标准的规定。

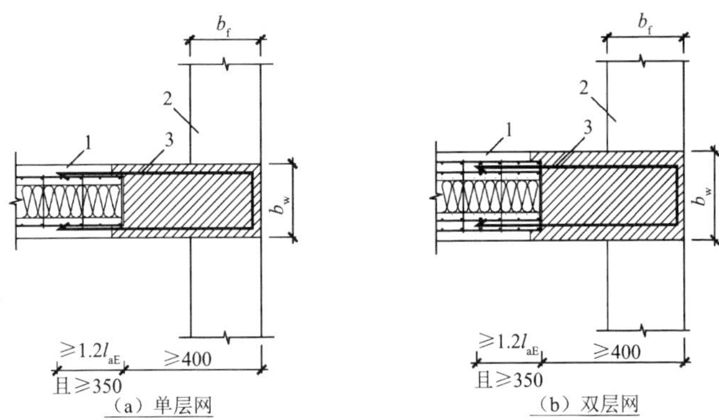

图 7.2.6-1 保温剪力墙为夹芯内墙翼墙时构造边缘构件范围

1—夹芯内墙；2—现浇剪力墙内叶墙；3—拉结钢筋

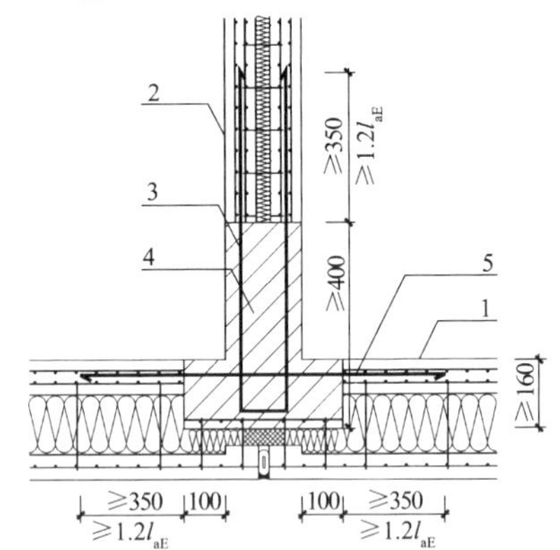

图 7.2.6-2 保温夹芯外墙为夹芯内墙翼墙时构造边缘构件范围

1—保温夹芯外墙；2—夹芯内墙；3—拉结钢筋；
4—构造边缘构件；5—连接钢筋

7.2.7 夹芯内墙门洞上方现浇连梁底高于门洞顶时，连梁底与门洞顶之间可采用夹芯混凝土连梁（图7.2.7-1），保温夹芯外墙的窗下墙可采用夹芯混凝土窗下墙（图7.2.7-2），并应符合下列规定：

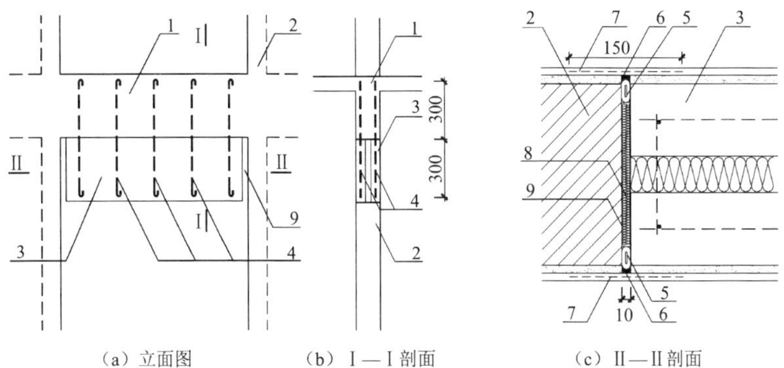

（a）立面图　（b）Ⅰ—Ⅰ剖面　（c）Ⅱ—Ⅱ剖面

图7.2.7-1　夹芯内墙现浇连梁与夹芯混凝土连梁连接构造

1—现浇连梁；2—现浇边缘构件；3—夹芯混凝土连梁；4—连接钢筋；5—发泡聚乙烯棒；6—弹性密封胶；7—耐碱玻纤网格布；8—柔性填充材料；9—断缝

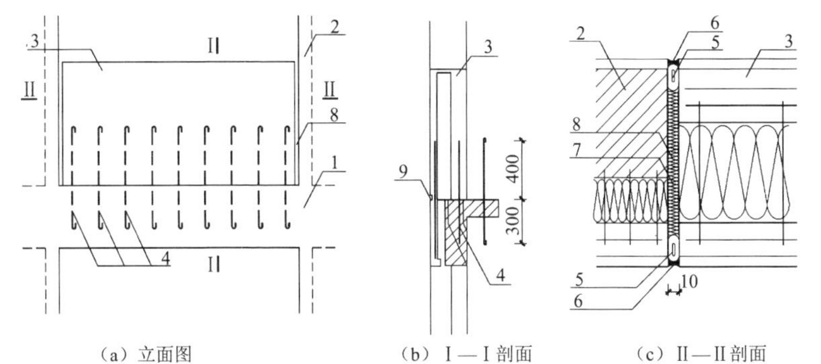

（a）立面图　（b）Ⅰ—Ⅰ剖面　（c）Ⅱ—Ⅱ剖面

图7.2.7-2　保温夹芯外墙现浇连梁与夹芯混凝土窗下墙连接构造

1—现浇连梁；2—现浇边缘构件；3—夹芯混凝土窗下墙；4—连接钢筋；5—发泡聚乙烯棒；6—弹性密封胶；7—柔性填充材料；8—断缝；9—诱导缝

1 夹芯混凝土连梁及夹芯混凝土窗下墙与现浇连梁之间应采用钢筋连接，连接钢筋直径不应小于8mm、间距不应大于200mm；

2 夹芯混凝土连梁及夹芯混凝土窗下墙与两侧边缘构件之间应设置10mm宽的断缝；

3 断缝两端应采用弹性密封胶及发泡聚乙烯棒封堵，中间应填充柔性材料；

4 夹芯混凝土连梁及夹芯混凝土窗下墙断缝处，表面应粘贴耐碱玻纤网格布，其宽度可为150mm。

7.3 楼梯及洞口构造

7.3.1 混凝土夹芯剪力墙建筑可采用现浇钢筋混凝土楼梯，也可采用预制钢筋混凝土楼梯。采用预制钢筋混凝土楼梯时应符合下列规定：

1 预制梯段板与支承构件之间宜采用简支连接；

2 预制梯段板端部应采取防止滑落的构造措施，且在支承构件上的搁置长度不宜小于100mm。

7.3.2 当剪力墙洞口尺寸不大于800mm且洞边无连梁或暗柱时，可按下列规定在洞口四周配置补强钢筋及钢丝网片（图7.3.2）：洞口每侧的补强钢筋不应少于2根，钢筋直径不宜小于8mm，且不应小于同向被切断钢筋总面积的50%；洞口转角部位应设置45°斜向钢丝网片，网片规格应与墙体钢丝网规格一致。

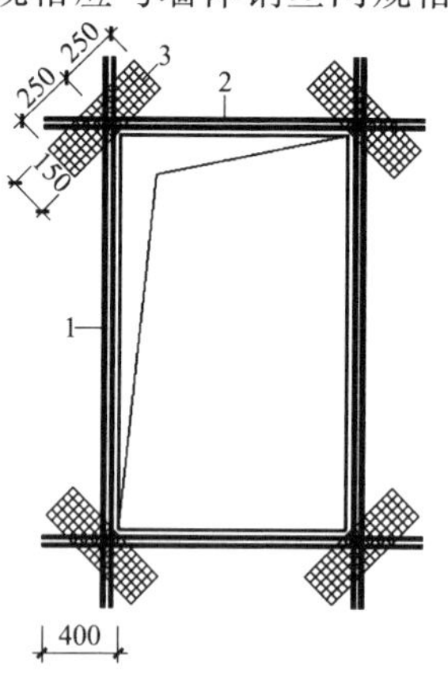

图7.3.2 洞口补强配筋

1—洞口两侧附加钢筋；2—洞口上下附加钢筋；3—加强网

8 施　　工

8.1 一般规定

8.1.1 混凝土夹芯剪力墙建筑的施工应根据工程的特点进行施工组织设计，编制施工方案、施工工艺标准。

8.1.2 夹芯板应按设计要求由专业工厂生产，夹芯板钢丝网的质量要求应符合表8.1.2-1的规定，夹芯板的尺寸允许偏差应符合表8.1.2-2的规定。

表8.1.2-1　夹芯板钢丝网的质量要求

项　　目	质量要求
外观	清洁，无明显油污
钢丝锈点	焊点区外无锈点
焊点强度	抗拉力≥150A_{cw}，无过烧现象
焊点质量	腹丝与网片不得有漏焊点，网片漏焊、脱焊点不得超过焊点数的8‰
钢丝挑头	腹丝挑头≤3mm
腹丝与网片焊点偏移	偏移≤20mm

注：系数150的单位为N/mm^2，A_{cw}为受拉钢丝截面面积（mm^2）。

表8.1.2-2　夹芯板的尺寸允许偏差（mm）

项　　目	允许偏差
长	±10

续表 8.1.2-2

项　　目	允许偏差
宽	±5
厚	±2
两对角线长度差	≤10
侧向弯曲	≤L/750
保温板厚度	±2

注:L 为夹芯板长度。

8.1.3 夹芯板应按拼装图编号,进入施工现场前应验收合格并应喷涂界面剂;进入施工现场后应码放整齐,采取措施防止钢丝锈蚀和污染;安装时应对号就位。

8.1.4 钢筋应有出厂产品合格证和材质检验单,并应按规定进行复查检验,确认合格后方可使用;进入施工现场后应按规格码放钢筋,采取措施防止钢筋锈蚀和污染。

8.1.5 喷涂混凝土施工期间,环境温度不宜低于 5℃。

8.1.6 喷涂混凝土的原材料应按国家现行有关标准规定复查检验;混凝土应进行试配,强度合格性评定应符合现行国家标准《混凝土强度检验评定标准》GB/T 50107 的规定,技术指标符合设计要求后方可用于工程施工;应根据喷涂混凝土量,编制泵送混凝土供应计划,以保证喷涂混凝土连续施工。

8.1.7 预埋件、预留连接钢筋、预留线管等应与设计图纸核对,符合设计要求后方可安装夹芯板。

8.1.8 喷涂混凝土施工时,每个工作班或每 $50m^3$ 混凝土(取较小者)应至少有一组试块。试块制作、加工应符合现行协会标准《喷射混凝土加固技术规程》CECS 161 的规定。

8.1.9 混凝土夹芯剪力墙结构采用喷涂工艺施工时宜按图 8.1.9-1 的顺序进行;混凝土夹芯剪力墙结构采用现浇工艺施工时宜按图 8.1.9-2 的顺序进行。

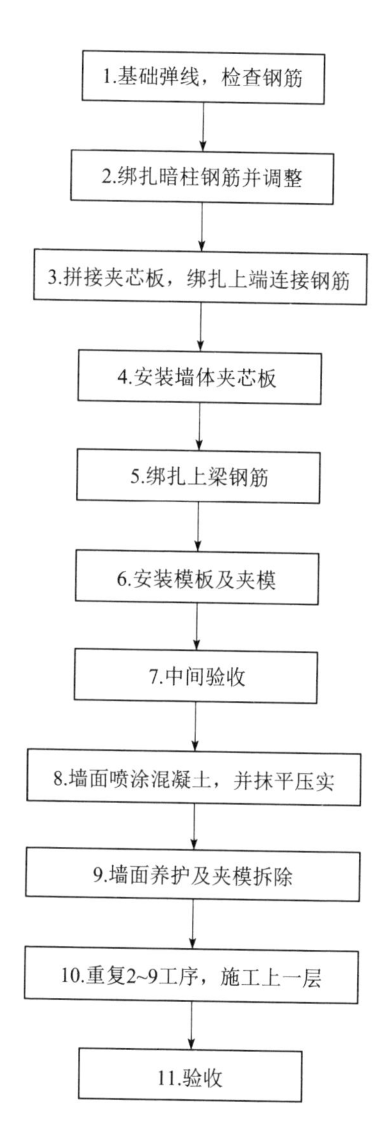

图 8.1.9-1 混凝土夹芯剪力墙结构喷涂工艺的施工顺序

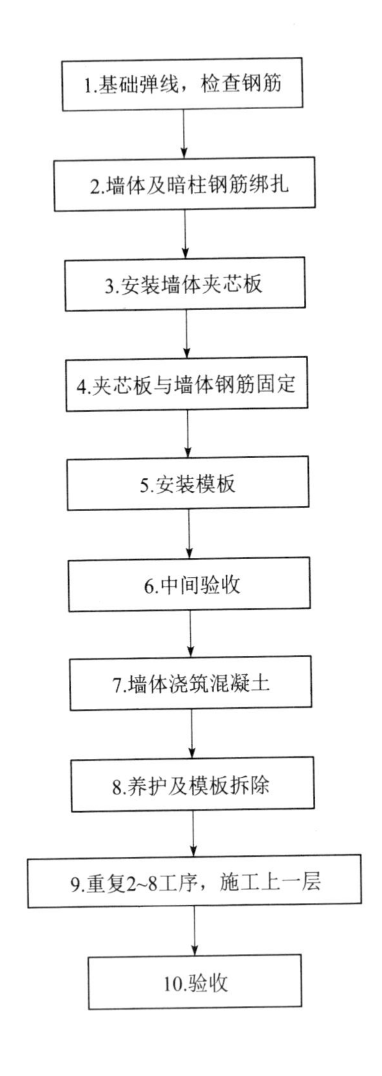

图 8.1.9-2 混凝土夹芯剪力墙结构现浇工艺的施工顺序

8.1.10 夹芯板安装宜按图 8.1.10 的顺序进行。

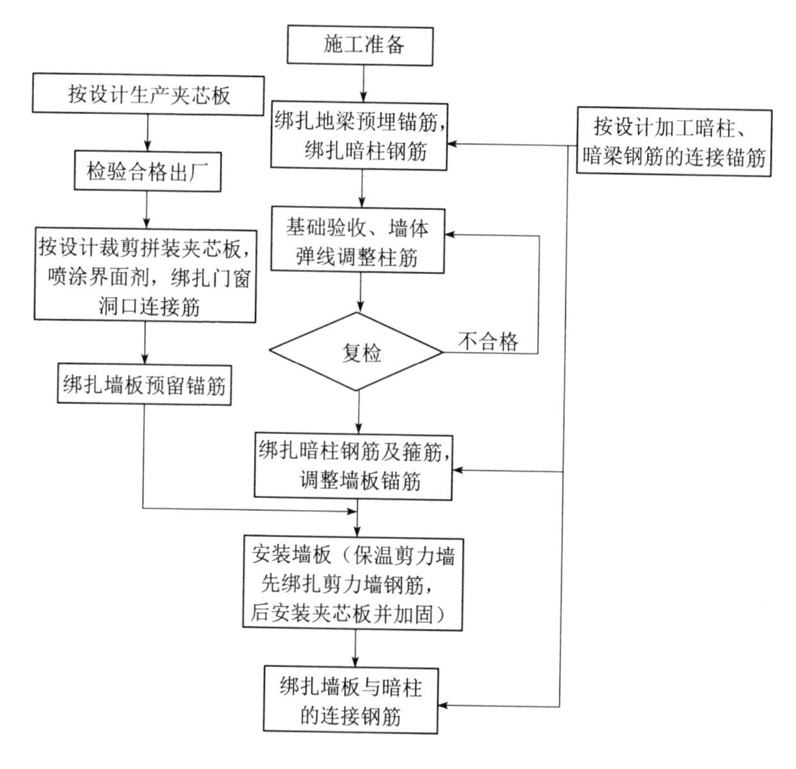

图 8.1.10 夹芯板的安装顺序

8.1.11 夹芯板安装应符合下列规定：

1 夹芯板下端钢丝应与预埋连接钢筋绑扎，每根钢筋不应少于 2 个绑扣；

2 窗下夹芯板、门上夹芯板必须竖向拼接安装，不得将夹芯板横向使用；

3 夹芯板连接应符合本规程第 7.2.1 条的规定，每根连接钢筋不应少于 4 个绑扣；

4 门窗洞口边沿的竖向钢筋应在夹芯板钢丝网片内，横向钢筋应在夹芯板钢丝网片外，应采用钢丝绑扎。

8.1.12 预埋电器盒或控制箱、线管应符合下列规定：

1 竖管和水平管可铺设在夹芯板的钢丝网片内，钢丝断开处应用平网加固；

2 电器暗盒、管线安装应绑牢，暗盒内宜填满聚苯，用外用塑料布包实，防止混凝土进入暗盒、管线内。

8.1.13 预埋木砖、螺栓、钢板应符合设计要求。

8.1.14 保温剪力墙及保温夹芯外墙施工应符合下列规定：

1 保温剪力墙及保温夹芯外墙用的夹芯板，应符合本规程第3.0.8条的规定；

2 首层保温剪力墙及保温夹芯外墙与基础梁的连接钢筋，应预埋在基础梁内；

3 保温剪力墙应先绑扎现浇剪力墙内叶墙的钢筋，后安装夹芯板，并用直径2mm的镀锌钢丝将夹芯板与现浇剪力墙内叶墙钢筋进行绑扎，双向间距400mm。

8.1.15 保温剪力墙及保温夹芯外墙的混凝土外叶墙应按设计要求设置水平变形缝和竖向变形缝，并应根据设计要求设防火岩棉条。

8.1.15A 对普通现浇混凝土及采用现浇工艺施工的夹芯剪力墙混凝土，应根据项目的实际特点确定混凝土的配合比、最大骨料粒径和坍落度，以确保混凝土浇筑密实。现浇混凝土及模板工程的施工应符合国家现行有关标准的规定。

8.1.15B 当现场有焊接作业时，应依据现场情况采用适当防火措施，并应符合国家现行有关防火标准的规定。

8.1.15C 对夹芯内墙、保温夹芯外墙和保温剪力墙的外叶墙，当采用现浇混凝土时，除应符合本规程和国家现行有关标准的规定外，施工时尚应符合下列规定：

1 混凝土浇筑时，应采取有效措施隔离大粒径粗骨料，以保障混凝土浇筑密实；

2 墙体两侧混凝土应同步浇筑，应采取可靠措施保障夹芯板的位置；

3 当采用双层钢丝网时，应采用自密实混凝土浇筑。

8.2 夹模施工

8.2.1 夹模模板体系的浇筑高度不宜大于3.6m，模板能承受的侧压力不应小于75kN/m²。

8.2.2 夹模组成应符合下列规定：

1 夹模模板应由夹芯板梳子模、面板、背楞、对拉螺栓或对拉钢片、墙厚控制器、对拉螺栓锚具、斜拉杆等部件组成；

2 模板面板可选用竹、木胶合板或塑料面板，肋和背楞宜采用薄壁型钢和铝合金型材制作，亦可采用全铝合金组合模板，钢材宜采用Q235级钢，铝合金宜采用6061；

3 模板的对拉螺栓或对拉钢片应采用不低于Q235级钢的钢材制作，并应能承受浇筑混凝土时产生的压力；

4 模板的使用应能满足现浇混凝土的成型和表面质量要求；

5 模板结构应构造简单、重量轻、连接可靠、耐用、可重复使用、便于制作、建筑垃圾少。

8.2.3 夹模安装及使用应符合下列规定：

1 夹模配置应符合工程设计要求；

2 模板安装应绘制模板安装图，严格按图施工，模板现场组拼时应用醒目的字体对模板编号；

3 模板与混凝土接触面应清理干净，并应涂刷脱膜剂；模板安装前，应将安装处楼面清理干净，检查模板控制线，确认无误后，方可按控制线合模；合模前必须通过隐蔽工程验收；

4 合模完毕后，应将夹芯板梳子模调整定位，确保夹芯板定位准确，安装牢固；

5 外墙脚手架可采用落地式脚手架，脚手架施工可按现行行业标准《建筑施工扣件式钢管脚手架安全技术规范》JGJ 130等相关标准执行；连墙件洞口的预留位置宜靠近暗柱，连接时应做好成品保护；同时做好该位置处的修补处理方案。

8.2.4 拆除模板应符合下列规定：

1 混凝土强度达到设计要求后，方可拆除模板，并应保护混凝土表面及棱角；

2 拆除模板应遵循先支后拆、后支先拆的原则；

3 拆除模板时，应先拆除模板与混凝土之间的对拉螺栓及其他连接件，使模板后倾与墙体脱离，同时应对模板采取临时固定措施，防止倾倒伤人；

4 操作人员不得站在模板上采用晃动、撬动或用大锤砸模板的方法拆除模板；

5 拆除模板的工具必须妥善保管和放置，不得随意散放在操作平台上，以免吊装时坠落伤人；

6 拆除后的模板及配件应及时清理干净，对变形和损坏的部位应及时进行维修。

8.2.5 暗柱夹模、暗梁夹模及转角夹模可按图 8.2.5-1～8.2.5-3 采用。

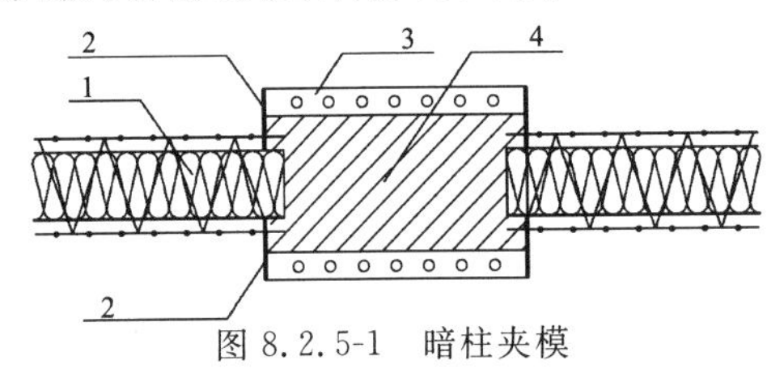

图 8.2.5-1 暗柱夹模

1—夹芯板；2—梳子模；3—平模；4—暗柱

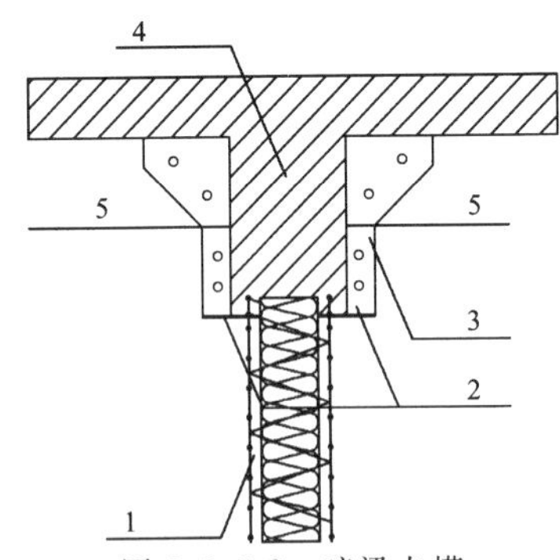

图 8.2.5-2 暗梁夹模

1—夹芯板；2—梳子模；3—平模；4—暗梁；5—楼面阴角模

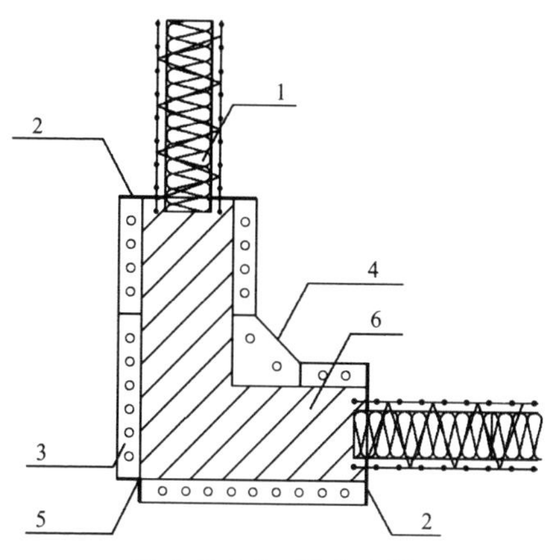

图 8.2.5-3　转角夹模

1—夹芯板；2—梳子模；3—平模；4—楼面阴角模；5—楼面阳角模；6—边缘构件

8.3　喷涂混凝土施工

8.3.1　混凝土喷射机的选用应符合下列规定：

1　喷涂混凝土的生产效率不应小于 $4m^3/h$；

2　空气压缩机的效率不宜小于 $6m^3/min$，每台喷射机应配置一台空气压缩机；

3　喷枪口径不宜小于 38mm；

4　水平输料距离不宜大于 100m，竖向输料距离不宜大于 30m；

5　混凝土输料管道应有良好的密封性和连续均匀输料能力。

8.3.2　喷涂混凝土配合比除应满足设计要求的强度等级外，还应满足喷涂施工要求。

8.3.3　基准配合比应符合现行行业标准《普通混凝土配合比设计规程》JGJ 55 的要求。混凝土配合比应根据现场施工条件通过实验室试验确定，并应符合下列规定：

1　水泥与砂石重量比宜为 1∶4～1∶4.5；

2　砂率宜为 45％～55％；

3　水灰比宜为 0.35～0.50；

4 胶凝材料总量不宜少于 400kg/m³；

5 减水剂和增黏剂的用量应通过试验确定；

6 喷涂混凝土拌和物的坍落度宜为 100mm～120mm。

8.3.4 混凝土喷射机位置应根据施工场地和施工面积选择确定，喷射机、空压机应进行调试、试喷、正常运行。

8.3.5 喷涂混凝土施工应符合下列规定：

1 混凝土喷涂应按顺序进行，边喷涂边抹平，抹平时刮去的混凝土余料可返回喷射机再用；

2 喷涂混凝土厚度允许偏差可为＋5mm～－3mm。墙面混凝土初凝后，应进行找平、压实；混凝土墙面与暗柱、暗梁模板边缘应加重压实，防止漏浆；

3 充筋方管或厚度标志网拆除后，应补料、压实；

4 门、窗洞口转角部位应加耐碱玻纤网布防止开裂；

5 混凝土终凝 2h 后应立即采取养护措施，养护时间不应少于 7d。当气温低于 5℃时，不宜喷水养护，应采取保水养护；

6 浇筑暗柱、暗梁、楼板混凝土时，墙面喷涂混凝土的立方体抗压强度不应小于 10N/mm²。

8.4 施 工 安 全

8.4.1 低温施工应符合下列规定：

1 混凝土夹芯剪力墙建筑不宜冬季施工，采用喷涂工艺时不应冬季施工。室外日平均气温连续 5d 低于 5℃时应有低温保护措施；

2 拌和混凝土时可掺入防冻剂，掺量需经试验确定，喷涂混凝土温度不应低于 25℃。

8.4.2 雨期施工应符合下列规定：

1 降雨时不得喷涂混凝土，对于刚喷涂的混凝土墙面应采取遮雨措施；

2 安装完成的夹芯板表面基本干透后方可喷涂混凝土。

8.4.3 大风施工应符合下列规定：

1 施工现场超过4级风时，安装完成的夹芯板应采取临时支撑措施，并应和暗柱钢筋绑扎牢固，或与外脚手架连接、支顶；

2 施工现场超过5级风时，不得安装夹芯板和喷涂混凝土。

8.4.4 混凝土夹芯建筑墙建筑采用喷涂工艺施工时应符合下列规定：

1 应采用双排外脚手架，宽度应大于1.5m，并应设置安全防护网；

2 施工中应经常检查输料管、接头和出料弯头，有磨薄、击穿、松脱等现象时应及时处理；

3 喷涂混凝土的喷枪枪口不得对人，喷枪操作工应有必要的保护措施；排除堵塞时，喷枪口、输料管的出口应朝安全方向。

8.4.5 夹芯板堆放应符合现行国家标准《建筑工程施工现场消防安全技术规范》GB 50720的规定。

8.4.5A 普通现浇混凝土结构的施工安全应符合现行国家标准《混凝土结构工程施工规范》GB 50666的有关规定。

9 工程验收

9.1 一般规定

9.1.1 工程质量验收应分为主控项目和一般项目，并符合现行国家标准《混凝土结构工程施工质量验收规范》GB 50204、《建筑工程施工质量验收统一标准》GB 50300 的有关规定。

9.1.2 质量验收的相关文件，应包括分项工程施工质量检验记录、隐蔽工种质量验收记录、重大技术问题的处理和修改设计记录。

9.1.3 混凝土夹芯剪力墙结构工程主体分部工程，可划分为下列子分部工程：

1 外墙与内墙的夹芯板安装子分部工程；

2 夹模安装子分部工程；

3 混凝土喷涂子分部工程；

4 现浇墙、暗梁、暗柱、边缘构件及楼板等混凝土浇筑子分部工程。

9.1.4 施工单位应按设计要求和本规程的规定对进入现场的夹芯板、钢筋进行验收，并做好记录。

9.1.5 夹芯板应有产品出厂合格证书、产品性能检测报告，应对进入施工现场的夹芯板按进场批次检查其相关资料。

9.1.6 喷涂混凝土剪力墙的外观质量、尺寸偏差应符合现行国家标准《混凝土结构工程施工质量验收规范》GB 50204 的有关规定。

9.1.6A 普通现浇混凝土剪力墙及采用现浇工艺施工的夹芯剪力墙的质量验收应符合现行国家标准《混凝土结构工程施工质量验收规范》GB 50204 的有关规定。

9.2 夹芯板安装验收

Ⅰ 主控项目

9.2.1 夹芯板安装子分部工程可划分为夹芯板安装固定、墙体钢筋绑扎分项工程。

9.2.2 夹芯板安装各部位应符合设计要求。

检查数量：全数检查。

检查方法：人工检查。

9.2.3 钢筋绑扎应符合现行国家标准《混凝土结构工程施工质量验收规范》GB 50204 的规定。

检查数量：全数检查。

检查方法：人工检查。

9.2.4 夹芯板安装轴线应符合设计坐标定位点，如出现偏离，应校正连接钢筋。

检查数量：全数检查。

检查方法：设备检测，人工观察。

Ⅱ 一般项目

9.2.5 夹芯板安装允许误差及检查方法应符合表 9.2.5 的要求。

表 9.2.5 夹芯板安装允许误差及检查方法

项目	允许误差（mm）	检查方法
表面平整度	5	2m 靠尺检查
垂直度	5	吊线、钢尺检查
相邻板上表面高差	±5	钢尺检查
轴线位置	4	卷尺检查
门窗洞口高度、宽度	5	钢尺检查
门窗洞口水平、垂直	±5	拉线、吊线检查

9.3 夹模安装验收

Ⅰ 主控项目

9.3.1 夹模安装子分部工程可划分为暗梁、暗柱、边缘构件模板定位、模板安装固定、梳子模安装定位分项工程。

9.3.2 模板定位应符合设计要求。

检查数量：全数检查。

检查方法：人工检查。

9.3.3 模板固定应整体稳定，确保施工中模板不变形、不错位、不胀模。

检查数量：全数检查。

检查方法：人工检查。

Ⅱ 一般项目

9.3.4 模板间的拼缝应平整、严密，不得漏浆，模板板面应清洁干净，隔离剂涂刷应均匀，不得漏刷。

检查数量：全数检查。

检查方法：人工观察。

9.3.5 模板安装允许误差及检查方法应符合表9.3.5的规定。

表9.3.5 模板安装允许误差及检查方法

项目	允许误差（mm）	检查方法
轴线位置	4	尺量检查
截面内部尺寸	±2	尺量检查
层内垂直度	3	线坠及尺量检查
相邻模板板面高低差	2	平尺及塞尺尺量检查
表面平整度	4	20m内上口拉直线尺量检查，下口按模板定位线为基准检查

9.4 混凝土喷涂验收

Ⅰ 主控项目

9.4.1 喷涂混凝土子分部工程可划分安装标志网（或冲筋、垫块)、喷涂混凝土、墙面找平、混凝土压实分项工程。

9.4.2 混凝土喷涂应符合现行行业标准《喷射混凝土施工技术规程》YBJ 226 的有关规定。

检查数量:全数检查。

检查方法:人工检查。

9.4.3 喷涂混凝土抗压强度及坍落度应根据设计要求配制后进行试验,强度合格性评定依据现行国家标准《混凝土强度检验评定标准》GB/T 50107 的规定。

检查数量:全数检查。

检查方法:人工检查,实验室检测。

Ⅱ 一般项目

9.4.4 喷涂混凝土的配合比应符合混凝土强度设计的要求。

检查数量:分批检查。

检查方法:实验室检测。

9.4.5 喷涂混凝土厚度应符合设计要求。

检查数量:全数检查。

检查方法:人工检查。

9.4.6 喷涂混凝土标识网拆除后应找平、压实。

检查数量:全数检查。

检查方法:人工观测。

9.4.7 喷涂混凝土表面允许误差及检查方法应符合表 9.4.7 的规定。

表 9.4.7 喷涂混凝土表面允许误差及检查方法

项 目	允许误差(mm)	检查方法
表面平整度	$\underline{4}$	2m 靠尺检查
垂直度	$\underline{4}$	经纬仪或托线板检查
阴阳角	4	角尺检查

9.5 混凝土浇筑验收

Ⅰ 主 控 项 目

9.5.1 暗梁、暗柱、边缘构件及楼板等混凝土浇筑子分部工程可划分为钢筋绑扎、混凝土浇筑、混凝土养护分项工程。

9.5.2 混凝土浇筑工程质量验收应符合现行国家标准《混凝土结构工程施工质量验收规范》GB 50204 的规定。

9.5.3 混凝土的强度等级必须符合设计要求。

检查数量：随机抽样。

检查方法：试验室检测。

Ⅱ 一 般 项 目

9.5.4 外墙门、窗洞口应根据设计要求设置防火岩棉条。

检查数量：全数检查。

检查方法：人工检查。

9.5.5 保温剪力墙及保温夹芯外墙的外叶墙水平、竖向变形缝应根据设计要求设置防火岩棉条。

检查数量：全数检查。

检查方法：人工检查。

附录A 夹芯内墙的夹芯板规格

A.0.1 夹芯内墙夹芯板的钢丝网及腹丝设置（图A.0.1）应符合下列规定：

1 单面混凝土厚为50mm或60mm时，可采用单层钢丝网，钢丝直径应为$\phi^b 4$，间距可为50mm；单面混凝土厚为70mm或80mm时，采用喷涂工艺时应采用双层钢丝网，钢丝直径应为$\phi^b 3$，间距可为50mm；

2 夹芯板的上下端应各设置1排直插腹丝，其直径应为$\phi^b 4$，水平间距可为200mm；

3 应沿夹芯板的高度及宽度设置斜插腹丝，斜插腹丝的直径可为$\phi^b 4$，竖向间距可为100mm，水平间距可为100mm，建筑高度不大于21m时，单层钢丝网夹芯板斜插腹丝的水平间距可为200mm。

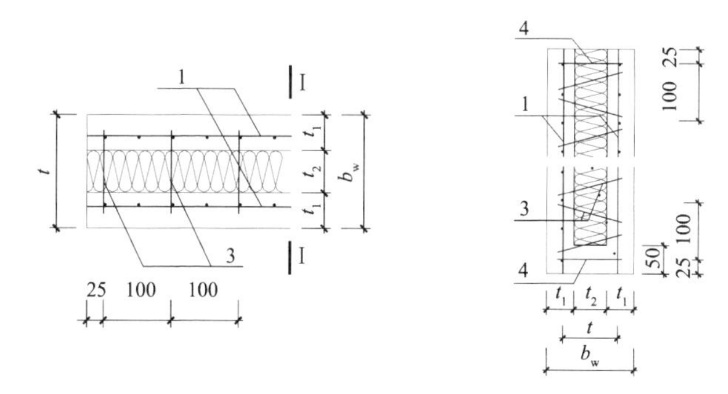

（a）单层钢丝网夹芯内墙

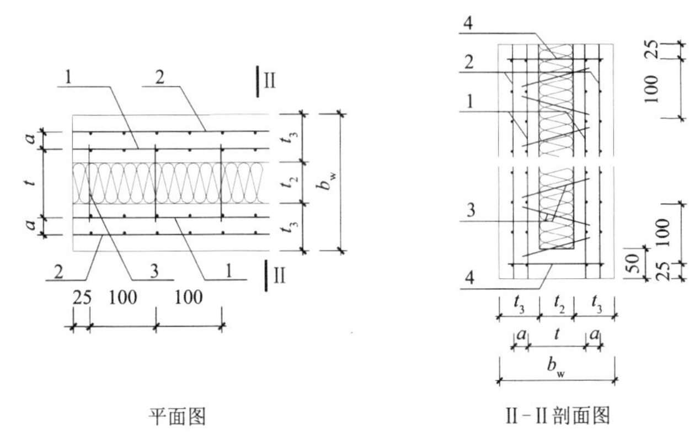

（b）双层钢丝网夹芯内墙

图 A.0.1 夹芯内墙夹芯板钢丝网及腹丝设置图

1—主钢丝网；2—副钢丝网；3—斜插腹丝；4—直插腹丝

A.0.2 夹芯内墙夹芯板的规格可根据剪力墙的厚度，按表A.0.2选用。

表 A.0.2 夹芯内墙的夹芯板规格

项　　目	规格（mm）			
夹芯内墙厚度 b_w	160	160	180	200
单层钢丝网混凝土厚度 t_1	50	60	—	—
保温板厚度 t_2	60	40	40	40
双层钢丝网混凝土厚度 t_3	—	—	70	80
主钢丝网间距 t	100	100	80	80
主钢丝网	$\phi^b 3@50$	$\phi^b 4@50$	$\phi^b 3@50$	$\phi^b 3@50$
副钢丝网	—	—	$\phi^b 3@50$	$\phi^b 3@50$
斜插腹丝	$\phi^b 4@100$	$\phi^b 4@100$	$\phi^b 4@100$	$\phi^b 4@100$
直插腹丝	$\phi^b 4$	$\phi^b 4$	$\phi^b 4$	$\phi^b 4$
主、副钢丝网间距 a	—	—	25	35
适用范围	内墙	内墙	内墙	内墙

注：斜插腹丝的间距指同方向相邻平行钢丝与钢丝网交接点之间的距离。

附录B　保温剪力墙的夹芯板规格

B.0.1　保温剪力墙夹芯板的钢丝网及腹丝设置(图B.0.1)应符合下列规定:

1　可采用单层钢丝网,钢丝直径应为$\phi^{b}3$,外叶墙钢丝网间距应为50mm,内叶墙钢丝网间距可为100mm;

2　夹芯板的上下端应各设置1排直插腹丝,其直径应为$\phi4$,水平间距可为200mm;

3　应沿夹芯板的高度及宽度设置斜插腹丝,斜插腹丝的直径应为$\phi4$,竖向间距可为200mm,水平间距可为200mm。

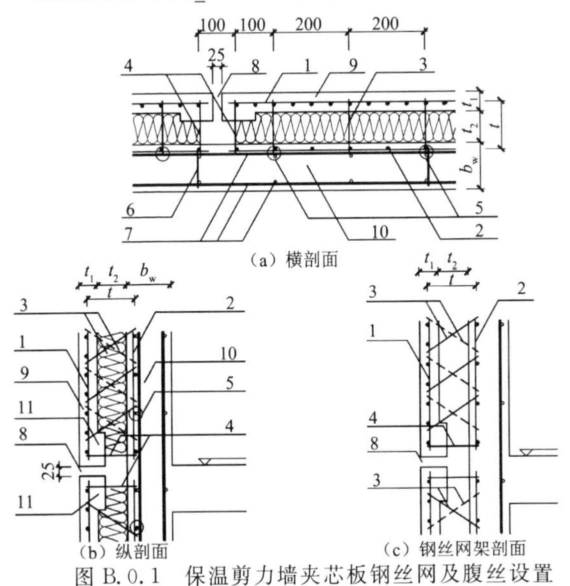

图B.0.1　保温剪力墙夹芯板钢丝网及腹丝设置

1—外层钢丝网;2—内层钢丝网;3—斜插腹丝;4—直插腹丝;5—绑扣;6—$\phi6$拉筋;7—现浇剪力墙双排配筋;8—变形缝;9—外叶墙;10—现浇剪力墙内叶墙;11—挑口

注:图中3所示的斜插腹丝根据设计要求也可以采用直插腹丝,或者直插腹丝与斜插腹丝交替设置。

B.0.2 保温剪力墙夹芯板的规格可根据保温剪力墙的保温要求，按表B.0.2选用。

表B.0.2 保温剪力墙的夹芯板规格

项目	规格(mm)						
现浇剪力墙厚度 b_w	≥160						
外叶墙厚度 t_1	50						
保温板厚度 t_2	100	120	140	160	180	200	210
内、外层钢丝网间距 t	150	170	190	210	230	250	260
外层钢丝网	$\phi^b3@50$	$\phi^b3@50$	$\phi^b3@50$	$\phi^b3@50$	$\phi^b3@50$	$\phi^b3@50$	$\phi^b3@50$
内层钢丝网	$\phi^b3@100$	$\phi^b3@100$	$\phi^b3@100$	$\phi^b3@100$	$\phi^b3@100$	$\phi^b3@100$	$\phi^b3@100$
斜插腹丝(不锈钢丝)	$\phi4@\underline{2}00$	$\phi4@\underline{2}00$	$\phi4@\underline{2}00$	$\phi4@\underline{2}00$	$\phi4@\underline{2}00$	$\phi4@\underline{2}00$	$\phi4@\underline{2}00$
直插腹丝(不锈钢丝)	$\phi4$	$\phi4$	$\phi4$	$\phi4$	$\phi4$	$\phi4$	$\phi4$
绑扣	内层钢丝网与现浇剪力墙钢筋用ϕ^b2绑扣捆牢，绑扣双向间距400mm						

注：斜插腹丝的间距指同方向相邻平行钢丝与钢丝网交接点之间的距离。

附录C 保温夹芯外墙的夹芯板规格

C.0.1 保温夹芯外墙夹芯板的钢丝网及腹丝设置(图C.0.1)应符合下列规定:

1 外叶墙应采用单层钢丝网,内叶墙应采用双层钢丝网,钢丝直径应为$\phi^{b}4$,间距应为50mm;

2 夹芯板的上下端应各设置1排直插腹丝,上端直插腹丝直径应为$\phi5$,下端直插腹丝直径应为$\phi4$,水平间距可为100mm;

3 应沿夹芯板的高度及宽度设置斜插腹丝,夹芯板上端800mm高度范围内斜插腹丝的直径应为$\phi5$,竖向间距可为200mm,水平间距可为100mm,其他高度范围内斜插腹丝的直径可为$\phi4$,竖向间距可为200mm,水平间距可为200mm。

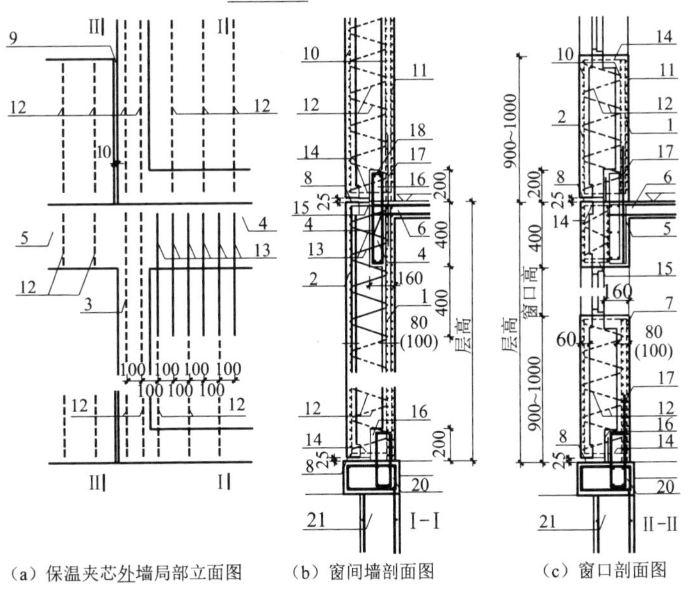

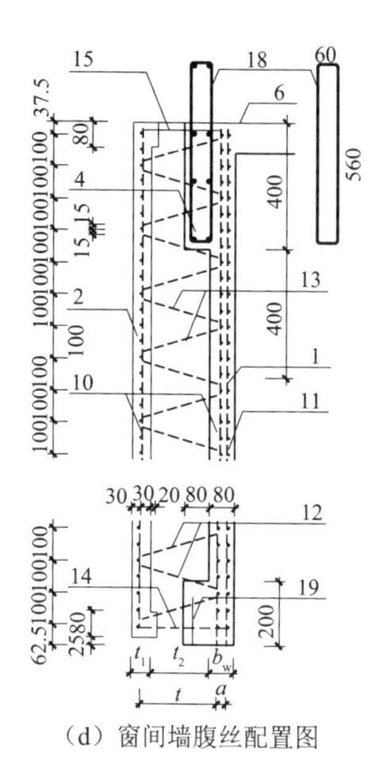

(d) 窗间墙腹丝配置图

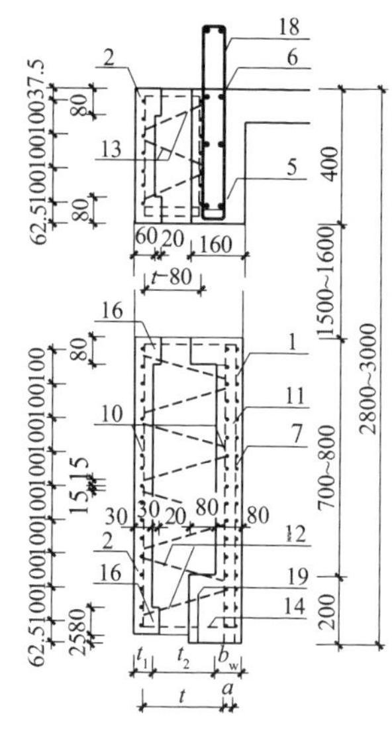

(e) 窗口墙腹丝配置图

图 C.0.1 保温夹芯外墙构造及腹丝配置图

1—混凝土内叶墙；2—混凝土外叶墙；3—边缘构件；4—暗梁；

5—连梁；6—楼（屋）盖；7—窗下墙；8—变形缝；9—断缝；10—主钢丝网；

11—副钢丝网；12—ϕ4 斜腹丝；13—ϕ5 斜腹丝；14—ϕ4 直腹丝；15—ϕ5 直腹丝；

16—挑口；17—连接筋；18—连接箍筋 ϕ5@100；

19—ϕ4 钢筋，长 150mm，间距 200mm；20—基础梁；21—剪力墙

C.0.2 保温夹芯外墙夹芯板的规格可根据保温夹芯外墙的保温要求，按表 C.0.2 的规定选用。

表 C.0.2 保温夹芯外墙的夹芯板规格

项　　目	规　　格（mm）			
混凝土内叶墙厚度 b_w	≥80	≥80	≥80	≥80
混凝土外叶墙厚度 t_1	60	60	60	60
保温板厚度 t_2	200	180	160	140
主钢丝网间距 t	255	235	215	195
主、副钢丝网间距 a	30	30	30	30

续表 C.0.2

项目	规格(mm)			
主、副钢丝网规格	ϕ^b4@50	ϕ^b4@50	ϕ^b4@50	ϕ^b4@50
ϕ4 斜插腹丝(不锈钢丝)	水平、竖向@200	水平、竖向@200	水平、竖向@200	水平、竖向@200
ϕ5 斜插腹丝(不锈钢丝)	水平、竖向@100	水平、竖向@100	水平、竖向@100	水平、竖向@100
ϕ4、ϕ5 直插腹丝(不锈钢丝)	水平@100	水平@100	水平@100	水平@100

注:1 保温夹芯外墙底部加强部位采用 100 mm 厚内叶墙时,其夹芯板主钢丝网间距为 t,主、副钢丝网间距 a 为 50mm;

2 为方便钢筋绑扎,暗柱和连梁的内层钢丝网外移,主钢丝网间距 t 减小 80mm;

3 主、副钢丝网之间采用 ϕ^b3 钢丝焊接连接,双向间距 300mm;

4 内层钢丝网的横向钢丝应与暗柱钢筋采用 ϕ^b2 钢丝扣绑扎连接,间距不宜大于 400mm,内层钢丝网的纵向钢丝应与暗梁钢筋采用 ϕ^b2 钢丝扣绑扎连接,间距不宜大于 300mm,每根纵向钢丝不应少于 2 个绑扣;

5 斜插腹丝的间距指同方向相邻平行钢丝与钢丝网交接点之间的距离。

本规程用词说明

1 为便于在执行本规程条文时区别对待，对要求严格程度不同的用词说明如下：

1） 表示很严格，非这样做不可的：

正面词采用“必须”，反面词采用“严禁”；

2） 表示严格，在正常情况下均应这样做的：

正面词采用“应”，反面词采用“不应”或“不得”；

3） 表示允许稍有选择，在条件许可时首先应这样做的：

正面词采用“宜”，反面词采用“不宜”；

4） 表示有选择，在一定条件下可以这样做的，采用“可”。

2 条文中指明应按其他有关标准执行的写法为：“应符合……的规定”或“应按……执行”。

引用标准名录

《建筑结构荷载规范》GB 50009
《混凝土结构设计规范》GB 50010
《建筑抗震设计规范》GB 50011
《混凝土强度检验评定标准》GB/T 50107
《混凝土外加剂应用技术规范》GB 50119
《工程结构可靠性设计统一标准》GB 50153
《混凝土结构工程施工质量验收规范》GB 50204
《建筑工程抗震设防分类标准》GB 50223
《建筑工程施工质量验收统一标准》GB 50300
《混凝土结构工程施工规范》GB 50666
《建筑工程施工现场消防安全技术规范》GB 50720
《通用硅酸盐水泥》GB 175
《用于水泥和混凝土的粉煤灰》GB/T 1596
《混凝土外加剂》GB 8076
《预拌混凝土》GB/T 14902
《高层建筑混凝土结构技术规程》JGJ 3
《钢筋焊接及验收规程》JGJ 18
《冷拔低碳钢丝应用技术规程》JGJ 19
《普通混凝土用砂、石质量及检验方法标准》JGJ 52
《普通混凝土配合比设计规程》JGJ 55
《混凝土用水标准》JGJ 63
《建筑施工扣件式钢管脚手架安全技术规范》JGJ 130
《建筑用混凝土复合聚苯板外墙外保温材料》JG/T 228
《喷射混凝土施工技术规程》YBJ 226
《焊接用不锈钢丝》YB/T 5092
《喷射混凝土加固技术规程》CECS 161

中国工程建设协会标准

夹模喷涂混凝土夹芯剪力墙建筑技术规程

（2017年版）

CECS 365：2014

条文说明

制订说明

《夹模喷涂混凝土夹芯剪力墙建筑技术规程》CECS 365：2014，经中国工程建设标准化协会2014年2月12日以第161号公告批准发布。

本规程制订过程中，总结了国内外钢丝网架聚苯夹芯板的开发和应用，以住房城乡建设部科技发展促进中心组织、清华大学土木工程系承担结构试验研究的《现浇密柱预制钢丝网架聚苯夹芯混凝土墙板承重体系》研究成果为借鉴，研究适用小高层的夹模喷涂混凝土夹芯剪力墙建筑。本规程制订的主要技术内容是：

1 混凝土夹芯墙与暗柱、暗梁和边缘构件现浇相连，形成的带边框的夹芯墙，通过不同厚度和剪跨比的喷涂钢丝网架夹芯墙板和配置分布钢筋的喷涂钢丝网架夹芯墙板抗震性能试验，表明现浇边框的刚性约束，提高了夹芯墙结构的整体性和承载力，其极限位移角满足剪力墙结构在大震作用下弹塑性变形要求。

2 保温夹芯外墙在外叶墙设变形缝，降低温度应力影响，避免墙体裂缝。仅斜腹丝相连接的保温夹芯外墙其内叶墙轴心受压和外叶墙受拉的不同试验表明，外叶墙对内叶墙受压稳定约束作用，大大提高受压承载力；夹芯墙保温聚苯厚150mm时，外叶墙附加18kN/㎡竖向荷载，外叶墙无竖向位移。保温夹芯外墙耐火极限在2.5h以上，变形缝为防火构造，墙体保温和结构做到同寿命。本规程编制的高层保温剪力墙外墙和多层保温夹芯外墙的热工性能，可满足寒冷和严寒地区保温节能75%的发展要求。

3 混凝土夹芯剪力墙结构为新型建筑结构，在施工中做到安全、适用，参照现行行业标准《建筑施工模板安全技术规范》JGJ 162—2008，研发了夹模构造和施工工艺，利用现浇梁柱模板加设固定装置，用以夹紧钢丝网架夹芯板，确保安装刚度、轴线定位准确，能承受喷涂压力不颤动、不位移。梁柱夹模定型，连接件通用互换，模板支架方便喷涂，以利于新型建筑的应用和推广。

4 我国喷射混凝土用于建筑承重墙体结构实例很少，在研发过程中，参照国家现行标准《岩土锚杆与喷射混凝土支护工程技术规范》GB 50086—2015 和《喷射混凝土加固技术规程》CECS 161：2004，进行了混凝土配合比研究，改进喷涂设备，采取有较大压力的湿喷工艺，大量试验和工程试点应用证明，在 50mm×50mm 钢丝网格上喷涂，易挂网、不流坠、回弹率小于 5%，检测表明混凝土强度等级及表观质量均符合现行国家标准的规定。现浇梁、柱混凝土和夹芯板喷涂混凝土结合牢固，在结构试验中充分显示变形协调一致性和共同工作特点。

为便于有关人员在使用本规程时能正确理解和执行条文规定，编制组按章、节、条顺序编制了本规程的条文说明，对条文规定的目的、依据以及执行中需注意的有关事项进行了说明。但是，本条文说明不具备与标准正文同等的法律效力，仅供使用者作为理解和把握标准规定的参考。

目　次

1 总　　则

1.0.1 夹模喷涂混凝土夹芯剪力墙建筑是由保温剪力墙或保温夹芯剪力墙外墙、夹芯剪力墙内墙或普通现浇混凝土剪力墙内墙、现浇梁柱和边缘构件，以及现浇或装配整体式楼（屋）盖组成的房屋建筑，属钢筋混凝土剪力墙结构。保温剪力墙及保温夹芯剪力墙外墙是集保温、防火、结构于一体的新型墙体，夹芯剪力墙内墙是集防火、结构于一体的新型墙体。

喷涂混凝土夹芯剪力墙是由工厂定型生产的钢丝网架聚苯夹芯板为基板，两侧喷涂混凝土后，与现浇柱、梁和边缘构件整体相连，形成带边框的夹芯剪力墙。边框对夹芯剪力墙的刚性约束，提高了墙体的整体性和承载力；边框形成的“构造框架”提高结构抗倒塌能力；夹芯剪力墙拟静力试验表明，其极限位移角满足剪力墙结构在大震作用下弹塑性变形要求。

用于外墙的保温剪力墙及保温夹芯外墙，构造科学合理，保温效果显著，满足严寒和寒冷地区居住建筑节能65%、外墙传热系数[0.5W/(m^2·K)～0.25W/(m^2·K)]的要求。

夹芯剪力墙的耐火等级不低于二级，保温剪力墙及保温夹芯外墙为混凝土复合夹芯保温，外叶墙装饰可干挂石材，墙体构造实现保温材料与结构同寿命。

喷涂混凝土强度等级不低于C30，夹芯剪力墙钢丝网保护层厚25mm，梁柱箍筋保温层厚20mm，根据现行国家标准《混凝土结构耐久性能设计规范》GB/T 50476—2008的规定，混凝土夹芯剪力墙结构满足50年使用年限的要求。

夹芯剪力墙比全现浇剪力墙降低自重和节约材料20%，节省模板60%以上；夹模工具式模板块小、重量轻，不需要机械吊装；

墙体大量减少现场绑扎钢筋，加快施工速度，降低建造成本。

夹模喷涂混凝土夹芯剪力墙建筑符合节约能源、降低建筑能耗、节约材料、提高居住热环境的国家发展需求，是建筑工业化、住宅产业化理想的结构体系之一，尤其在缺少建材、运输困难的边远地区，更具广阔的应用前景。

1.0.2 混凝土夹芯剪力墙结构不同于普通钢筋混凝土剪力墙结构，建造高度、开间间距、层高等有所限制。适用范围主要用于住宅、商住楼、公寓和宾馆等开间不大的民用建筑。

本次修订，对混凝土夹芯剪力墙建筑的内涵进行了扩充，纳入了由保温剪力墙外墙和普通现浇剪力墙内墙组成的普通保温剪力墙结构；施工工艺由原来的喷涂扩充为既可喷涂又可现浇。本规程对现浇混凝土夹芯剪力墙建筑也做了相关规定。

对框架-剪力墙结构中的外墙，也可采用本规程中规定的保温剪力墙外墙；对框架结构及框架-剪力墙结构中的填充墙，也可参照本规程中规定的保温夹芯剪力墙外墙和夹芯剪力墙内墙采用夹芯填充墙构造，此时的夹芯填充墙为非结构构件。由于工业建筑的使用条件差别很大，本规程原则上不适用于排架结构类型的工业建筑。但是，使用条件和结构类型与民用建筑相似的工业建筑，可以参照本规程执行。

2 术语和符号

2.1 术 语

2.1.1 混凝土夹芯剪力墙建筑是由保温剪力墙(或保温夹芯剪力墙)外墙,混凝土夹芯剪力墙内墙或普通现浇剪力墙内墙,现浇柱、梁及边缘构件,以及现浇或装配整体式楼(屋)盖组成的钢筋混凝土剪力墙结构房屋建筑。保温剪力墙及保温夹芯剪力墙外墙是集保温、防火、结构于一体的新型墙体,夹芯剪力墙内墙是集防火、结构于一体的新型墙体,其钢丝网架保温夹芯板由工厂生产,现场拼装,夹模固定,采用商品混凝土现场喷涂或浇筑。通过预制与现浇相结合的工业化建造方式,形成的混凝土夹芯剪力墙建筑结构,是建筑工业化、住宅产业化理想的结构形式之一,具有广阔的应用前景。

本次修订对混凝土夹芯剪力墙建筑的内涵进行了扩充,纳入了由保温剪力墙外墙和普通现浇剪力墙内墙组成的普通保温剪力墙结构;施工工艺由原来的喷涂扩充为既可喷涂又可现浇。根据工程实际需要,保温剪力墙外叶墙、保温夹芯剪力墙外墙和夹芯剪力墙内墙既可以采用夹模喷涂混凝土,也可以采用现浇混凝土。

2.1.2 钢丝网架聚苯夹芯板的生产设备和应用技术于20世纪80年代初引入我国,先后有美国T.I板(国产商标称泰柏板)、奥地利的3D板、韩国的舒乐舍板。板型的主要区别是钢丝网架腹丝的构造,分之字形、菱形,聚苯芯板分条板拼装和整块平板。其钢丝网均采用$\phi^b 2$钢丝、50mm×50mm网格、斜插腹丝$\phi^b 2$,数量为200根/m^2。在钢丝网架夹芯板两侧面抹25mm～30mm厚水泥砂浆,形成钢丝网架水泥聚苯夹芯板,于1996年编制了行业标准《钢丝网架水泥聚苯乙烯夹芯板》JC 623。该板多用于非承重的内、外墙，后发展为低层房屋承重和楼（屋）盖，或房屋加层结构，设计单位进行了相关试验并编制应用图集。

本规程的喷涂混凝土夹芯剪力墙是在总结非承重钢丝网架聚苯夹芯板应用成功经验和失败教训的基础上，改进板形、加大钢丝直径、加厚夹芯墙混凝土壁厚度，提高墙体保温和防火性能，形成保温、防火、结构于一体化的新型承重结构构件。混凝土夹芯剪力墙结构的钢丝网架聚苯夹芯板分承重型和保温型，用于内墙承重型的钢丝网丝径 ϕ^b3 及 ϕ^b4、网格 50mm×50mm，腹丝和钢丝网竖丝焊接成三角形受力桁架，腹丝数量 200 根/m^2；用于保温剪力墙外叶墙外层钢丝网的丝径为 ϕ^b3，网格 50mm×50mm、内层网格 100mm×100mm，保温聚苯板厚度 100mm～210mm，斜插受力腹丝为 $\phi4$ 不锈钢丝，数量为50 根/m^2，沿外墙竖向和水平设变形缝，钢丝网架在变形缝处断开，保温板上下左右连续。钢丝网架夹芯板的创新改革，采用混凝土喷涂工艺，为混凝土夹芯墙应用拓宽了新路。

2.1.3 为适应喷涂混凝土钢丝网架聚苯夹芯墙施工和质量需求，开发了专用的夹模及其施工工艺。夹模为夹芯墙现浇暗柱、暗梁及边缘构件专用模板，并设有梳子状固定装置（简称梳子模），用于夹紧、固定钢丝网架夹芯板，确保夹芯板平面外有良好刚度，轴线定位准确，能承受喷涂混凝土压力而不颤动、不产生位移。夹模的暗柱、暗梁及边缘构件模板规格定型，连接件通用互换，夹模支架方便喷涂设备移动运转。整个夹模系统做到体轻、坚固、实用、安全和经济，有力地促进喷涂混凝土夹芯剪力墙建筑的应用和发展。

2.1.10 本规程中混凝土夹芯剪力墙结构包括全夹芯剪力墙结构和内夹芯保温剪力墙结构两种，不包括普通保温剪力墙结构；混凝土夹芯剪力墙建筑的结构形式涵盖了全夹芯剪力墙结构、内夹芯保温剪力墙结构及普通保温剪力墙结构三种形式。

2.1.10A 无保温要求的剪力墙内墙，可采用无夹芯的普通混凝土剪力墙。

3 材　　料

3.0.1 鉴于混凝土夹芯墙和暗柱、暗梁及边缘构件整浇相连，构成一个组合构件，为了计算方便，混凝土强度设计值按现行国家标准《混凝土结构设计规范》GB 50010 的规定采用。

喷涂混凝土实测体积密度为 2200kg/m^3，与现行国家标准《岩土锚杆与喷射混凝土支护工程技术规范》GB 50086 规定的喷射混凝土的体积密度相同，该规范规定的喷射混凝土弹性模量比现行国家标准《混凝土结构设计规范》GB 50010 的规定值低 17%，比国内相关资料数据最高值也低 9%。鉴于本规程喷涂混凝土夹芯剪力墙与暗柱、暗梁及边缘构件整浇，故结构设计计算仍取现行国家标准《混凝土结构设计规范》GB 50010 规定的混凝土弹性模量。

3.0.2 本次修订增加“不宜使用低碱水泥”，是因为水泥碱度降低极易造成钢丝锈蚀，近年来南方有不少工程为赶施工速度，在对钢丝网架聚苯夹芯板喷抹砂浆或混凝土时，用低碱度的硫铝酸盐早强水泥，引起钢丝网的严重锈蚀甚至断裂。

3.0.7 钢丝网与暗柱、暗梁及边缘构件的连接钢筋宜选用 HRB335，构件的主筋宜选用 HRB335 及 HRB400 级热轧钢筋。

3.0.8 本规程夹芯板的芯板推荐采用聚苯板，当有可靠依据且经试验验证适合穿插腹丝时也可采用其他保温材料。

用于内墙夹芯板的钢丝网和斜插腹丝均采用冷拔镀锌低碳钢丝，镀锌层为 36g/m^2；用于外墙外叶墙夹芯板的钢丝网采用冷拔镀锌低碳钢丝，镀锌层质量增加为 122g/m^2；外墙腹丝为不锈钢钢丝，应采用能和低碳钢丝焊接的不锈钢钢丝。本次修订增加 ϕ5 冷拔镀锌钢丝和不锈钢丝，用于高层内夹芯剪力墙结构中；延伸率的要求参考了《钢筋焊接网混凝土结构技术规程》JGJ 114 的相关要求。

本规程为方便设计，附录 A、附录 B、附录 C 分别给出了夹芯内墙、保温剪力墙及保温夹芯外墙夹芯板的规格。$\phi^b 4$ 腹丝按轴心受压稳定计算 $N/\varphi A \leqslant f$，主钢丝网间距为 100mm 时，$\phi^b 4$ 承剪力为 1880N；主钢丝网间距为 120mm 时，$\phi^b 4$ 承剪力为 1860N；主钢丝网间距为 140mm 时，$\phi^b 4$ 承剪力为 1440N。多层建筑内墙荷载小，夹芯内墙可以减少腹丝数量，腹丝行间上下间距不变，水平行间距可改为 200mm，腹丝数量为 100 根/m^2，$\phi^b 4$ 腹丝承剪能力如上述不变。

4 基本规定

4.0.1 一般情况下，混凝土夹芯剪力墙结构的安全等级为二级，设计使用年限为50年。

4.0.2 抗震设防的混凝土夹芯剪力墙建筑一般为丙类建筑。

4.0.3、4.0.4 条文规定了全夹芯剪力墙结构及内夹芯保温剪力墙结构的最大适用高度。由于内夹芯保温剪力墙结构的外墙为现浇剪力墙承重，其最大适用高度高于全夹芯剪力墙结构。

4.0.5 夹芯内墙、保温剪力墙及保温夹芯外墙的抗震等级，与现浇剪力墙的抗震等级相同。

4.0.6 判断混凝土夹芯剪力墙建筑的建筑形体及其构件布置是否规则的标准，与现行国家标准《建筑抗震设计规范》GB 50011规定的房屋建筑规则性判断相同。应尽量避免不规则；当出现不规则情况时，应按现行国家标准《建筑抗震设计规范》GB 50011的规定，采取相应措施。

5　建筑设计和节能

5.0.2　本条规定混凝土夹芯剪力墙建筑的最大层高，目的是保证夹芯板的稳定性；当能保证夹芯板的稳定性时，最大层高可适当加大。规定全夹芯剪力墙结构的最大端开间，目的是避免重力荷载作用下保温夹芯外墙平面外失稳，当端开间大于规定的最大尺寸时，应进行保温夹芯外墙平面外稳定验算，并应满足平面外稳定要求；建筑层数不超过5层时，开间尺寸可适当加大，并无须进行保温夹芯外墙平面外稳定验算。

5.0.3　混凝土夹芯剪力墙结构的最大高宽比限值与现浇剪力墙的结构相同。

5.0.4　保温剪力墙外叶墙的厚度不应小于50mm，可保护夹芯板的保温材料，使其与结构同寿命。

5.0.5　本条规定了夹芯板两侧混凝土的厚度。保温剪力墙的外叶墙不承重，其厚度可为50mm，为了提高墙体的平面外稳定，保温夹芯外墙的外叶墙厚度取为60mm。为保证喷涂混凝土的密实，规定最大厚度为100mm。

5.0.6　防震缝最小宽度与现行国家标准《建筑抗震设计规范》GB 50011的规定一致。

5.0.7　全夹芯剪力墙结构对温度作用较为敏感，本规程对伸缩缝的最大间距从严要求。当采用喷涂混凝土工艺时，本规程对内夹芯保温剪力墙结构伸缩缝的最大间距的规定略有放松。

5.0.8　本条规定了防震缝和伸缩缝的做法。

5.0.9　本条规定了混凝土夹芯剪力墙建筑的轴线定位方法。

5.0.10　本规程的保温剪力墙适用于严寒和寒冷地区，为保温、防火、结构一体化的新型外墙。保温剪力墙的外叶墙设变形缝，减少内叶承重现浇剪力墙温度应力，外叶墙不参加受力，夹芯板钢丝网架腹丝大量减少，仅为 50 根/m^2，提高了夹芯板的保温性能。保温剪力墙防火为二级，实现了外墙和结构同寿命。以保温剪力墙外叶墙厚 50mm、夹芯板 140mm、内叶现浇剪力墙 160mm 厚为例，$t_e=-29℃$，$t_i=18℃$，传热系数 $k=0.378$，采暖日数 176d，根据现行国家标准《民用建筑热工设计规范》GB 50176 的规定计算，保温聚苯的重量湿度允许增量[ΔW]为 15%，冷凝界面内侧所需的蒸汽渗透阻 $H_o \cdot i=11892m^2 \cdot h \cdot Pa/g$。上述保温剪力墙冷凝面内侧蒸汽渗透阻 H 为 $19849m^2 \cdot h \cdot Pa/g$，其保温聚苯板一个采暖期湿度增量不会达 15%。为保障使用年限，保温剪力墙夹芯板的腹丝采用不锈钢丝。墙体平均传热系数，以 ϕ^b4 不锈钢腹丝 50 根/m^2，$\lambda=0.039\times1.25=0.049$[W/(m·K)]为依据计算的。保温剪力墙外墙防火等级不低于二级。

5.0.11 保温剪力墙的外叶墙，夏季太阳辐射表面综合温度在 60℃以上，冬夏季平均温差在 40℃，混凝土线膨胀系数 $\alpha_c=1\times10^{-5}/℃$，1000mm 长的剪力墙胀缩为 0.4mm，3m 楼层高为 1.2mm，长 1m 的外叶墙，其胀缩力为 600kN。因保温剪力墙的外叶墙设变形缝，大大减小对内叶承重剪力墙的影响，同时也避免外叶墙膨胀开裂。保温剪力墙外叶墙变形缝嵌的岩棉条应采用岩棉板切条，密度为 200kg/m^3、$\lambda=0.044$ W/(m·K)，其表面宜用水玻璃或经水稀释浸渍。当外叶墙设置挑板或挑件时，挑板或挑件应可靠支承于内叶墙上，挑板或挑件应经计算确定，且挑板或挑件位置的原有直插腹丝可取消。

5.0.12 保温剪力墙门窗洞口通过设置防火岩棉条，隔离聚苯保温板，实现防火断桥。为设置截面大小合适的防火岩棉条，外叶墙与剪力墙需在洞口边设置挑口。

5.0.13 本条规定了保温夹芯外墙的构造要求，部分规定与保温剪力墙的构造要求相同。当外叶墙设置拉结件时，拉结件应可靠锚固于内叶墙上，拉结件应经计算确定，且拉结件位置的原有直插腹丝可取消。

5.0.14 保温夹芯外墙门窗洞口边的构造要求，以隔离聚苯保温板，实现防火断桥。

5.0.15 夹芯内墙的聚苯板比较薄，不能满足保温要求，通过抹无机保温砂浆，提高其保温能力。

5.0.19 封闭阳台夹芯保温板的传热系数 k=0.51 W/(m² · K)，在严寒地区阳台温度可达 12℃。封闭阳台窗墙比大于 0.5，外窗的传热系数不宜小于 2.5W/(m² · K)。阳台挑出长度大于 1.3m 时，应设承重挑梁，沿阳台内侧设边梁。

5.0.21 隔墙与承重结构墙之间可采用水平钢筋拉结，也可通过水平现浇带的钢筋进行拉结，包括预制装配式轻质墙材隔墙和砌筑墙材隔墙。

5.0.21A 非承重隔墙采用夹芯墙时，可以保证与主体结构采用同样的施工工艺，并可与主体结构同时施工。对框架结构及框架-剪力墙结构中的填充墙，也可按本条规定采用非承重夹芯墙。

5.0.24 采用喷涂工艺施工时，保温剪力墙外叶墙喷涂混凝土表面水泥砂浆打底找平后，沿窗、门洞口四边用抗裂砂浆粘贴 200mm 宽耐碱玻纤网格布一层，沿洞口四角 45°附加斜贴 300mm 宽、400mm 长耐碱玻纤网格布一层，表面抹 1∶2.5 水泥砂浆。

5.0.25 保温剪力墙外叶墙饰面采用干挂石材时，挂件连接宜采用不锈钢膨胀螺栓，金属龙骨连接宜采用钢板预埋件。保温剪力墙外叶墙喷涂混凝土 50mm 厚，装饰层干挂石材时总重 2500N/m²，装饰层粘贴面砖总重 2000N/m²。保温剪力墙夹芯板的钢丝网架由 ϕ^b4 不锈钢腹丝焊连的三角形支承点构成，三角形支承点数量为 25 个/m²，每个支承点承重 80N～100N，三角形支承点的承力大小由受压腹丝的稳定所控制，保温板越厚，支承点承力越小。在严寒和寒冷地区，9 层以上居住建筑节能 65％的外墙传热系数限值为 0.5W/(m² · K)，本规程保温剪力墙的保温板 160mm 厚，其传热系数为 0.35W/(m² · K)。保温板 180mm 厚及以上的，保温剪力墙外墙装饰适宜粘贴面砖。

6 结构设计

6.1 一般规定

6.1.1～6.1.4 混凝土夹芯剪力墙结构的荷载、水平地震作用及效应计算、效应组合，均按国家现行有关标准的规定执行。

6.1.5 保温剪力墙及保温夹芯外墙的外叶墙混凝土仅作为夹芯板的保护层，不考虑其对结构刚度及构件承载力的贡献，但应计入其重量。保温夹芯外墙的试验结果表明：保温夹芯外墙的外叶墙与内叶墙的连接构造符合附录C的规定时，外叶墙对内叶墙墙肢的受压承载力和受压稳定性有显著提高作用，内叶墙墙肢的受压承载力大幅提高，试验最终破坏表现为内叶墙墙肢的受压破坏；外叶墙及内叶墙可通过聚苯夹芯层及连接腹丝协同工作、整体受力，可以满足保温夹芯外墙平面外整体稳定性的要求，故可不计算内叶墙墙肢的稳定性；保温夹芯外墙的内叶墙在上下层之间的连接构造局部加强，可以保证内叶墙受力连续性和可靠性的要求。

墙肢正截面受压承载力的计算应符合现行国家标准《混凝土结构设计规范》GB 50010的有关规定，在计算墙体稳定系数时，截面回转半径 i 近似取对形心的截面等效回转半径。

6.1.6 门洞上方的夹芯混凝土连梁及窗下夹芯混凝土墙与夹芯墙之间设置缝隙时，夹芯混凝土连梁及窗下夹芯混凝土墙不参与结构受力。

6.1.7 除夹芯内墙及保温夹芯外墙的边缘构件本规程另有规定外，夹芯内墙、保温夹芯外墙及保温剪力墙底部加强部位高度、墙肢轴压比限值以及保温剪力墙边缘构件设置，与普通剪力墙相同。混凝土夹芯剪力墙结构墙肢的轴压比尽可能不大于0.3，以避免设置约束边缘构件。

6.1.8 本条规定与现行国家标准《建筑抗震设计规范》GB 50011有关剪力墙布置的规定基本相同。剪力墙夹芯结构的楼梯间墙体可采用夹芯内墙，但应采用现浇暗柱支承楼梯梁。

6.1.9 本条规定与现行国家标准《建筑抗震设计规范》GB 50011框支剪力墙结构的有关规定基本相同。

6.1.10 夹芯内墙及保温夹芯外墙设置现浇暗柱，目的是增大其整体性以及平面外的稳定性。

6.1.11 一字独立夹芯内墙是指两端没有翼墙的单肢墙，其两端设置边缘构件，目的是增大墙的整体性。

6.1.12 夹芯内墙及保温夹芯外墙每层楼板标高位置设置连续暗梁，目的是保证结构的整体性。

6.1.13 混凝土夹芯剪力墙结构外墙墙肢长度不宜过小，以保证墙肢平面外受弯承载力及稳定性。

6.1.14 混凝土夹芯剪力墙结构除了可现浇楼（屋）盖及装配整体式楼（屋）盖外，也可采用叠合板楼（屋）盖及空心板楼（屋）盖。

6.1.15 本条规定了混凝土夹芯剪力墙结构地下墙体及基础的要求。

6.1.16 混凝土夹芯剪力墙结构的弹性层间位移角限值与剪力墙结构相同。

6.2 截面计算

6.2.1 混凝土夹芯剪力墙结构构件的承载力抗震调整系数与现行国家标准《建筑抗震设计规范》GB 50011 的规定一致。

6.2.2～6.2.4 条文与现行国家标准《建筑抗震设计规范》GB 50011的规定一致。

6.2.5 当夹芯板钢丝网的钢丝不能满足承载力的要求时，可配置竖向钢筋及水平钢筋，形成钢筋网。对于单层钢丝网，竖向钢筋应配置在钢丝网与保温板之间，水平钢筋应配置在钢丝网外、紧贴钢丝网；对于双层钢丝网，竖向钢筋应配置在两层钢丝网之间、紧贴钢丝网副钢丝网，水平钢筋应配置在副钢丝网外、紧贴副钢丝网。

6.2.6 试验表明，混凝土剪力墙夹芯板钢丝网的钢丝参与抗剪、抗压，计算夹芯内墙及保温夹芯外墙的承载力时，应计入其作用。

6.2.6A 试验证明，保温夹芯剪力外墙的外叶墙与内叶墙的连接构造符合附录C的规定时，外叶墙对内叶墙墙肢的受压承载力和受压稳定性有显著提高作用，在计算墙肢的稳定性时，可考虑内外叶墙的协同作用，厚度可取组合截面的等效厚度，截面回转半径 i 近似取对形心的截面等效回转半径。

7 结构构造

7.2 连接及墙体构造

7.2.1 搭接连接长度应根据搭接连接钢筋的直径和牌号计算确定。当钢丝网为双层时，搭接连接钢筋的配筋应根据双层钢丝网沿搭接方向总的钢丝面积确定。

7.2.2、7.2.3 当有地下室时，首层夹芯内墙及保温夹芯外墙的竖向钢丝通过钢筋与地下室的现浇剪力墙的竖向钢筋连接。保温夹芯外墙的外叶墙不参与承重和抗水平力，其上下层的竖向钢丝不应连接。

7.2.5 本条规定了夹芯内墙及保温夹芯外墙边缘构件的要求。相对现浇钢筋混凝土剪力墙，夹芯内墙的混凝土厚度较小，边缘构件采用实心截面，对墙体有明显的加强作用。此外，边缘构件的构造考虑了夹模的要求。

7.2.6 本条规定了保温剪力墙为夹芯内墙的翼墙时，以及保温夹芯外墙为夹芯内墙的翼墙时的构造边缘构件范围。

7.2.7 剪力墙连梁底与门洞顶之间的部分以及窗下墙部分，采用与两侧主体结构断开的构造时，可作为非结构构件，不参与整体受力。

8 施　　工

8.1 一般规定

8.1.1～8.1.15 用 ϕ^b2 镀锌钢丝双向间距 400mm，将夹芯板的内层钢丝网与现浇剪力墙钢筋进行绑扎；首层夹芯板应与基础梁（或剪力墙）预埋的连接钢筋绑扎牢固。

绑扎板间加固连接筋，墙角加固角网间搭接长度为 100mm，附加 $\phi8$ 内、外角钢筋，长 400mm，间距 200mm。

窗下板、门上板必须竖向拼接安装，不得将夹芯板横向使用。

夹芯板的门、窗洞口边应根据设计要求设防火隔离层。

8.1.15C 为保障墙体两侧混凝土的厚度满足设计要求，施工时需保障夹芯板的位置不发生明显偏移，因此要求墙体两侧混凝土同步浇筑。此外，尚应在夹芯板的保温板与钢丝网之间设置混凝土垫块，或采取其他可靠措施固定保温板。

8.2 夹模施工

8.2.1～8.2.5 夹模模板体系不仅是夹模喷涂混凝土夹芯剪力墙建筑施工中现浇混凝土成型的重要工具，也是确保夹芯板准确定位、提高工程质量的重要保证。

8.3 喷涂混凝土施工

8.3.3 混凝土配合比规定水灰比 0.35～0.50，主要是为了满足 C30、C40、C50 等混凝土不同强度等级的要求。考虑到减水剂和增黏剂的性能受水泥适应性影响，要通过试验确定减水剂和增黏剂的用量。

8.3.4 喷射机的操作、输料管道安装应注意下列事项：

混凝土喷射机的操作人员必须经过专门培训合格后，方可上岗独立操作；每一天第一次喷涂混凝土前，应先输送一罐水、两罐砂浆，然后进行混凝土拌和料输送。

喷射机供料应连续均匀，混凝土输送允许停顿，但停顿时间不宜超过1h，采用短暂点动输送，以防止混凝土拌和料在输料管道内硬化，产生堵管；排除堵塞时，喷枪口、输料管的出口应朝安全方向，以防堵塞物或废浆高速飞出伤人。

炎热季节施工，宜用湿罩布、湿草袋等遮盖混凝土输料管，避免阳光照射；冬季施工，宜用保温材料包裹混凝土输料管，防止管内混凝土受冻，并保证混凝土的喷涂出枪口温度为5℃～25℃。

混凝土输料管道的固定，不得直接支承在钢筋、模板及预埋件上，水平管宜每隔一定距离用支架、台垫、吊具等固定，以便于排除堵管、装拆和清洗管道；垂直管宜用预埋件固定在墙和柱或楼板预留孔处；在墙及柱上，每节管不得少于1个固定点，垂直管下端的弯管，不应作为上部管道的支撑点；宜设钢支撑承受垂直管重量；当垂直管固定在脚手架上时，应对脚手架进行加固。

施工中突然发生停风、停电、停水而不能继续作业时，喷射机和输料管中的积料必须及时清除干净。

作业结束时，必须将喷射机和输料管中的积料完全喷出后方可停机停风，并将喷射机受料口加盖防护。

8.3.5 喷涂混凝土墙面施工时，一个站位喷涂水平距离1.2m，喷枪口至墙面距离，第一遍应控制在400mm～600mm，第二遍喷枪口至墙面距离大于600mm，边移动边喷射，使混凝土表面基本平整。喷枪口运动轨迹如图1所示。

喷涂混凝土顺序如下：自下而上，一道压一道，不得漏喷，喷枪口与受喷面应尽量垂直，最小角度不得小于70°，匀速移动喷枪，移动速度不宜小于0.6m/s；当喷涂混凝土墙段较长时，可以用冲筋或控制件为界，分段进行，高度分段距离宜在1.0m～1.5m之间，长度分段距离宜在1.2m～1.6m之间。

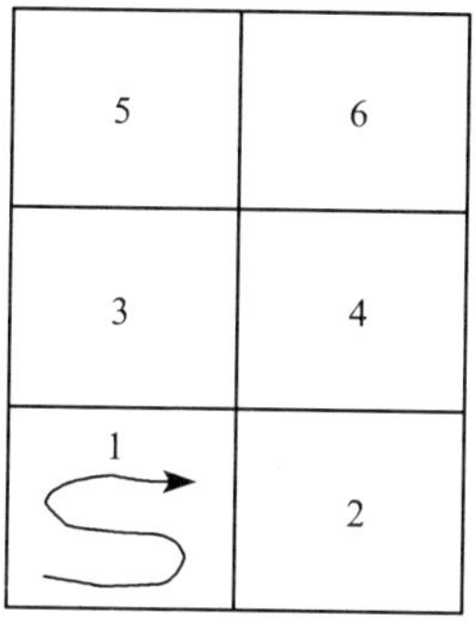

5	6
3	4
1	2

图 1　喷涂混凝土墙面时喷枪口运动轨迹

9 工程验收

9.1 一般规定

9.1.3 混凝土夹芯剪力墙结构工程主体子分部工程，可划分为下列分项工程：

1 夹芯板安装子分部工程可划分为夹芯板安装固定、墙体钢筋绑扎（含夹芯板间连接、边缘构件及线管、线盒等）分项工程；

2 夹模安装子分部工程可划分为暗梁、暗柱、边缘构件模板定位、模板安装固定、梳子模安装定位分项工程；

3 墙体喷涂混凝土子分部工程可划分安装标志网（或冲筋、垫块）、喷涂混凝土、墙面找平、混凝土压实分项工程；

4 暗梁、暗柱、边缘构件及楼板等混凝土浇筑子分部工程可划分为钢筋绑扎、混凝土浇筑、混凝土养护分项工程。

各分项工程可根据便于控制施工质量的原则，按流水作业的工作班、楼层、施工段划分为若干检验批。

9.2 夹芯板安装验收

9.2.1 夹芯板安装子分部工程包括夹芯板间连接、边缘构件及线管、线盒等分项工程。